# SEMENTES NO GELO

**ANDRÉ VIANCO**

# SEMENTES NO GELO

4ª reimpressão - Outubro / 2007

São Paulo

novo século editora

*Editoração Eletrônica:*
MCT Produções Gráficas

*Direção Editorial:*
Luiz Vasconcelos

*Supervisão:*
Silvia Segóvia

*Capa:*
Christian Pinkovai

*Revisão:*
Paulo Sá

*Foto do Autor:*
Marisa Samogin

**Dados Internacionais de Catalogação na Publicação (CIP)**
**(Câmara Brasileira do Livro, SP, Brasil)**

Vianco, André
Sementes no gelo / André Vianco. — Osasco, SP : Novo Século Editora, 2002.

1. Romance brasileiro I. Título.

02-3576 CDD-869.935

**Índices para catálogo sistemático:**
1. Romances : Século 20 : Literatura brasileira 869.935
2. Século 20 : Romances : Literatura brasileira 869.935

**2007**


Av. Aurora Soares Barbosa, 405 - 2° Andar - Osasco - SP - CEP 06023-010
Fone: 0xx11-3699-7107
e-mail: editor@novoseculo.com.br

Visite nosso site
www.novoseculo.com.br

Impresso no Brasil / *Printed in Brazil*

Para meu querido tio Ticão.

Para meus amigos e todos os que estiveram no dia 24 de fevereiro de 2000 no Buffet Madeira.

Para você.

Só vejo mar, só vejo céu. A barca segue em paz.

Ao invés do útero...
O gelo.

Ao invés da vida...
O frio.

# Capítulo 1

Às quatro e meia da manhã já havia pelo menos vinte pessoas alojadas em frente da delegacia do centro de Osasco. Estava preso ali Damião Arruda da Silva, seqüestrador e assassino de crianças. Aquelas pessoas agrupadas esperavam o raiar do sol e a chegada de mais manifestantes para começar o barulho diante do distrito policial. Queriam o linchamento de Damião. Queriam exibir a revolta contra a criatura de mente tão perversa. Para a sorte de Damião, não existia no Brasil inteiro a pena de morte.

O assassino já atuava no estado havia quinze meses. Sua lista de vítimas era tão extensa quanto a de inimigos. A maioria dos pais desejava o direito a quinze minutos em companhia de Damião. Sonhavam com o encontro numa sala fechada, sem janelas, com isolamento acústico e um grosso taco *de baseball.* Sonhavam com Damião implorando pela vida, molhando as calças, perdendo a valentia doente com a qual sobrepujava suas vítimas infantes. Queriam o animal acuado, ferido, capengando para a morte. Isso, sim, seria justiça. A maioria dos pais não compreendia como grupos organizados de "humanistas" perdiam tempo em defender aquela escória. Certamente esses defensores de direitos humanos cairiam em suas cabeças como um raio se conseguissem pôr as mãos no couro do mata-criancinhas. Esse tipo de gente só mudaria as idéias de lado se também tivessem um filho de quatro anos degolado. Talvez só assim parariam de perder tempo com a corja do mesmo naipe do Damião. Talvez...

Dentro da delegacia, apesar da superlotação, Damião descansava o corpo numa cela vazia. Se fosse deixado à noite numa cela comum, não viveria mais que duas horas. Para estupradores e assassinos de criança fora criado um "código penal dos internos". Pena capital. Ética dos marginais. Não que o delegado ligasse a mínima para Damião; estava preocupado era com a própria pele. A Corregedoria iria cair em cima. Todos sabem que os detentos matam estupradores. Para evitar um falatório ainda maior, amontoou um pouco mais os presos e tacou o safado numa cela "particular".

Damião podia ouvir o zunzunzum lá fora. Sabia que já tinha gente se ajuntando. Fora assim na madrugada passada e seria assim até estar confinado num presídio qualquer. Sabia qual seria seu destino após ter sido abandonado à própria sorte entre os presos comuns. Não duraria uma semana, mas nem por isso deixava a preocupação tomar conta da cabeça. Valera a pena? Em sua mente doente, valera. Um sorriso largo encobriu seu rosto quando se lembrou da pequena Vanessinha se debatendo entre suas mãos fortes. A garota fora valente. Brigara até o fim. Excitou-se ao lembrar a melhor parte. Após asfixiá-la, serviu-se do corpo inerte para satisfazer seus desejos podres. Ela não tinha mais de nove anos. Riu sozinho. Haviam feito aquilo com ele quando era criança e ninguém dera a mínima para o seu pranto. Agora era a vez deles prantearem. Lembrou-se do pequeno Pedro, uma de suas últimas vítimas. Seu riso doentio apagou-se. Seus olhos brilharam. Quantas facadas foram mesmo? Não se lembrava. Havia desferido inúmeros golpes no estômago do guri. Só parou quando viu o sangue brotar na boca da criança. Largou o menino e acompanhou seu rastejar. Queria ver quanto o animalzinho agüentaria antes de sucumbir. Ah! Como era divertido!

No meio da multidão surgiram três pequenas crianças. Neide, madrinha de uma vítima de Damião, provavelmente foi quem notou primeiro. Os três pequenos estavam ali, sozinhos. Pareciam ter sete anos cada um, no máximo. O trio caminhou para a frente do grupo, indo em direção à delegacia. A mulher continuou a observá-los. Usavam calças jeans e camisetas azul-escuro, dando-lhes um aspecto monocromático. Os três, dois meninos e uma menina, tinham os cabelos negros e lisos, bem escorridos. Os cabelos da menina chegavam até as costas, enquanto os dos meninos eram do tipo "tigela". Olhou em volta. Nenhum pai parecia estar procurando por três filhos fujões. Que diabos estariam fazendo aqueles três na delegacia? Seriam filhos trigêmeos de algum policial? Mas andando sozinhos pelo centro de Osasco às quatro da manhã?! Neide continuou com a testa franzida até os três desaparecerem porta adentro. Teve uma impressão muito ruim a respeito do pequeno trio.

Vina, o carcereiro, era o único presente à entrada da delegacia. Os outros plantonistas estavam na sala do delegado assistindo à TV. Ao "Cine Privé", na Bandeirantes, por certo. Folheava uma Época quando percebeu as três crianças adentrando a delegacia. Provavelmente iam pedir água. Gente maluca. Trazer crianças, sem agasalho, na madrugada. Os três guris sorriram. Vina retribuiu. Percebeu que se dirigiam para o bebedouro, como previra. Voltou os olhos para a reportagem. Leu mais algumas linhas. Voltou os olhos ao bebedouro. Nenhuma criança. Sobressaltou-se. Para onde teriam ido? A única porta naquela direção era a da carceragem. Levantou rapidamente e contornou o balcão. Mesmo que as crianças quisessem, não atingiriam as celas. Logo no segundo metro do corredor já havia grades, justamente para frustrar visitas inoportunas. Crianças mais arteiras! Que curiosidade dos diabos. Já antes de chegar ao corredor, Vina começou com a bronca:

— Muito bem, criançada. Já pra fora! Voltem lá para os seus pais. Tão pensando que aqui é a casa da mãe Jo... o carcereiro estacou boquiaberto.

Vina levou a mão esquerda ao bolso. O molho não estava lá. Deixara as chaves no balcão, afinal de contas não contava precisar fazer uso delas. Correu de volta ao balcão. Um arrepio ligeiro percorreu-lhe o corpo. De alguma forma as crianças haviam atravessado as grades. A porta não estava destrancada, isso não. Tinha certeza de que a trancara depois do último turno. Depois, teria ouvido nitidamente as dobradiças rangerem se os pirralhos tivessem aberto ou fechado a pesada grade. Aquelas pestes. Provavelmente se esgueiraram entre as barras de ferro. Era bom alcançá-las antes de chegarem aos detentos. Dentro da cela havia um acúmulo recorde de sangue ruim por metro quadrado. Alcançou a grade do corredor e enfiou a primeira chave que lhe veio à mão. Outro arrepio cruzou-lhe o corpo. Os três já haviam transposto a segunda grade do corredor e dirigiram-se para a direita, logo no final. Vina sentiu um alívio passageiro. As celas comuns ficavam à esquerda. Teve de trocar de chave, o nervosismo fizera-o errar. Na segunda tentativa acertou, conhecia as chaves de bater o olho. Correu para a segunda grade, já com a chave certa em mãos. Os diabinhos haviam virado à direita. O alívio passageiro desaparecera assim que se recordou do Damião, assassino de crianças, trancado em uma das celas especiais no corredor oposto ao das celas comuns. Aqueles três estavam correndo perigo.

— Ei! Crianças! Voltem!

Vina abriu a segunda grade e correu para o fim do corredor. Antes de alcançá-lo, seu sangue gelou ao captar gritos apavorados. Correu. Entrou à direita. As portas das celas especiais ficavam ali. Gritos atormentados enchiam o corredor. Os olhos desconcertados do carcereiro iam de cá pra lá freneticamente. Onde diabos estavam as crianças?! As portas das celas especiais, diferentes das celas comuns, não possuíam grades para três fedelhos se esgueirarem. Eram sólidas chapas de ferro. As únicas passagens existentes eram uma espécie de respiro, no topo, uma portinhola no centro, para se observar o detento, e uma portinhola estreita, na parte baixa, por onde se empurrava a comida. Nenhum deles conseguiria se enfiar por ali. Contudo, os gritos vinham de dentro da cela de Damião. Vina, esbaforido, vasculhou o molho de chaves até encontrar a número oito. Enfiou-a no buraco da fechadura, mas, surpreendentemente, antes que pudesse girá-la, de alguma forma algo a empurrou violentamente para fora, ferindo a mão do carcereiro e fazendo o molho de chaves ir ao chão. Vina rodou a cabeça, procurando pelas crianças. Elas não estavam lá dentro. Mas onde estariam? O corredor terminava logo adiante, e, apesar da luminosidade precária, seus olhos podiam perfeitamente divisar o final do corredor, mas nenhum deles estava ali. Atordoado, apanhou o molho de chaves e levantou-se. Abriu a portinhola de observação. Outro arrepio tomou conta de seu corpo. Não havia luz lá dentro, mas conseguia ver o detento se contorcendo: três sombras pequenas correndo em volta, ao que parecia, desferindo golpes contra o corpo do homem trancafiado. Vina voltou a procurar a número oito e, assim que a encontrou, voltou a rodar a chave na fechadura. A chave não foi repelida desta vez, no entanto recusava-se a girar e destrancar a porta da cela. Vina abaixou-se para examinar. Só então percebeu que a porta estava envergada e a fechadura danificada, como que abalroada por uma pesada marreta. Ainda examinava perplexo o estado da porta quando assustou-se com a mão do preso tentando escapulir pelo buraco no meio da porta.

— Carcereiro! Carcereiro! Ai, meu Deus! Me tira daqui! — gritou Damião.

Vina caiu sentado, com os olhos arregalados, observando aquele braço frenético dançando rente à porta, como que querendo passar todo o corpo através do diminuto orifício.

Gritos de dor encheram o corredor.

— Ai!!! Filhos da puta! Me tira daqui! Parem! Cês tão me matando! Cof .. gosf.. Ai! Me ... daqui!

Dois policiais chegaram ao corredor, encontrando Vina ainda caído ao chão, hipnotizado pelo braço, que agora voltava a ser engolido pela porta de ferro.

— Que tá acontecendo, Vina?

— Putizgrila! Sei lá! Cês não vão acreditar!

Um dos policiais avançou até a porta, com o revólver em uma das mãos e com a outra tentando girar a chave.

— Tá quebrado. — alertou Vina, com uma voz sumida.

— Aiiie! Caralho! Pára, porra! Abram logo... eu não agüento mais.

Os policiais podiam ouvir o corpo do homem sendo jogado contra a porta de ferro e seu choro apavorado sem nada poder fazer.

Repentinamente, um arremesso mais forte, seguido de imediato por um estralar de ossos, fez surgir um caroço protuberante na porta de ferro. Os gritos cessaram. O silêncio voltou a apoderar-se da delegacia. Vina podia ainda ouvir seu coração disparado e o tilintar do molho de chaves pendurado na fechadura.

— Parou. — observou o segundo policial, encostado à parede, com olhos atentos.

— Ti-tinham três crianças aqui, eu juro. Cês viram, eu não fiz nada. — lamentava o carcereiro.

O policial, recostado à parede, estendeu a mão para Vina, ajudando a içá-lo do chão. Os barulhos externos voltaram ao ar, como se os três policiais tivessem, até aquele instante, sido capturados por uma espécie de transe hipnótico.

Os detentos do corredor de celas comuns gritavam.

— Parabéns, gambé! Vocês nem deixaram um pouquinho do sem-vergonha pra nóis! Cerrrto! — brincou um deles.

— Mataram o cuzão! Mataram o cuzão! — gritava um grupo de marginais.

Vina correu até o corredor.

— Ninguém matou ninguém! Calem a boca!

O policial mais próximo da porta espiou pelo orifício central. Só podia ver os pés de Damião. Estava escuro demais para observar detalhes. Teve a impressão de ver algo movendo-se nas sombras. Rodou os olhos. Não tinha certeza. Estava impressionado demais. Não podia ver a cabeça do assassino de crianças. Ele estava colado demais à porta. Parecia morto. Forçou novamente a chave. Estava emperrada. Olhou para o policial que ajudara Vina a se levantar e disse:

— Não desgruda o olho desta porta, Sílvio. Se tem alguém aí, não vai sair sem você ver. Vou buscar alguém para abrir essa merda. Não desgruda o olho da porta, pelo amor de Deus! Se quem estiver aí escapar, a gente tá fodido com o delegado.

Meia hora depois, Márcio, o policial que saíra em busca de ajuda, retomou, trazendo consigo um pesado cilindro metálico. Atrás dele veio um homem empurrando um carrinho de mão.

— Que é isso? — perguntou Vina.

— Esse é o Jonas. Ele é serralheiro. Vai abrir essa bosta pra gente ver o que aconteceu lá dentro.

— Pera lá, Márcio. É melhor chamar o delegado, porque se...

— Se o Damião ainda estiver vivo?

— Que se foda! — rebateu Sílvio. — Quero saber é da gente. Se a gente abrir sem o delegado chegar, vai ficar bem esquisito pro nosso lado. O bicho vai pegar.

— Não. Acho melhor abrir. — insistiu Márcio.

Jonas estava preparando o maçarico. Fora arrancado da cama pelo primo àquela hora da madrugada. Então que fosse para alguma coisa! Que abrissem a porta.

Vina ainda estava mergulhado num estado letárgico. Observava, sem discutir. Apenas quando se lembrou de um detalhe voltou a abrir a boca.

— Tem três crianças aí dentro... — murmurou.

— Cê fumô?! Como três crianças iam entrar aí, Vina?

O carcereiro meneou a cabeça, perdido, sem saber o que dizer.

— Jonas, pode abrir essa porra, eu agüento a bronca.

O serralheiro colocou os óculos protetores. — Sei lá, Marcião. Vai dar merda, vai dar merda... — queixava-se Sílvio.

— Deixa comigo, cara, deixa comigo. Eu queria saber o que aconteceu aí dentro da cela. Vai, Jonas, abre essa merda.

O serralheiro ateou fogo no maçarico, ajustou a chama movimentando algumas regulagens nos cilindros e então passou à porta. Levou pouco mais de cinco minutos para remover a fechadura da grossa porta de ferro.

Enquanto aguardavam a conclusão do trabalho, os policiais ouviam a multidão agitada do lado de fora pedindo a execução impossível do assassino de crianças, sem se dar conta de que poderia ter sido atendida, dado o silêncio fúnebre que reinava no lado de dentro da cela. Os detentos das celas comuns gritavam palavrões. Vina, que geralmente impunha ordem na baderna comandada pelos presidiários, estava quieto, aguardando o serralheiro concluir a tarefa.

Jonas apagou o bico do maçarico e, com uma marreta pesada, golpeou a maçaneta, fazendo-a ir ao chão. A porta balançou, já destravada. Vina espichou os olhos tentando vislumbrar o interior da cela. Márcio, com seu trinta-e-oito na mão, pulou por cima das tralhas do primo serralheiro e puxou a porta. Abriu-a de supetão, apontando a arma para o interior. Para entrar teve de passar por cima de Damião. A cela era pequena. Não havia mais ninguém lá dentro. Nem criança, nem assassino de estuprador. Sim, era necessário que houvesse ao menos um assassino na cela. Damião estava morto. Uma generosa poça de sangue formara-se junto a sua cabeça. Onde estaria o assassino? Márcio apontou a arma para o teto. Não havia passagem alguma por ali. No teto, só uma lâmpada queimada pendia. Ninguém se mata jogando a cabeça contra uma porta. Ninguém.

# Capítulo 2

Tânio acendeu seu sétimo cigarro. Passava cinco minutos das nove horas da manhã e, a menos de uma semana de acumular o segundo aluguel em atraso, ainda não tinha a menor idéia de onde tirar o dinheiro. Seu negócio estava parado nos últimos três meses. Pegava um caso aqui, outro ali. Os clientes pagavam como podiam, e ele não pagava o aluguel. A grana estava curta para coisas não tão importantes. Preferia utilizar seus proventos com passeios, roupas novas e reparo nos equipamentos de trabalho, exatamente nesta ordem. Tânio se perguntava se fizera a escolha certa. Conhecia poucos detetives particulares que encerraram a carreira abastados e empolgados o suficiente com a vida para continuar uma existência feliz. Abriu a gaveta e fuçou a agenda. Era hora de fazer contatos. Precisava conseguir algum trabalho se não quisesse ficar sem escritório. Folheou da letra “a” até a “e”, prestando atenção aos nomes e lembrando-se das últimas conversas com cada novo rosto que lhe invadia a mente. Velhos clientes. Matrimônios eram suscetíveis de desconfianças reincidentes. Mulheres. A maioria delas faria o dinheiro evaporar de seu bolso. Tânio deixou um sorriso largo enfeitar o rosto. Queria a cabeça ocupada em como fazer dinheiro rápido, não perdida em memórias de alcova. Prosseguiu com a garimpagem de nomes em sua agenda até chegar à letra “l”. Lizete. Reclinou a cadeira para trás, segurando a agenda com uma e levando a outra mão até os cabelos pretos. Quanto tempo não abria a agenda na letra "l"? Quanto tempo não se lembrava de Lizete? Como o tempo voa, tornando pessoas importantes em lembranças remotas! Estudara com Lizete o segundo grau inteiro. Tornaram-se grandes amigos. Unha e carne. Lizete contara-lhe todos os segredos. Lizete entregara-lhe o corpo perfeito de adolescente dezenas de vezes. Tânio sorriu novamente. Que sortudo! Conhecera muitos homens que seriam capazes de matar para estar com ela, simplesmente estar. Que dizer das aventuras na cama, então?!

Lizete. Cabelos longos, lisos e negros como o breu. Pele provocantemente bronzeada, pintinhas sensuais, estrategicamente distribuídas pelo corpo. Olhos infinitamente verdes.

Alguém acionou a campainha.

Tânio sequer abandonou a posição assumida em função do mergulho nas lembranças trazidas pela letra "l", "l" de Lizete. Pouco importava que um idiota esperasse alguns minutos na porta de seu escritório. Iria ligar para Lizete. Saber como estava. Quantos anos fazia? Dez, doze? Não a via desde que se casara com um médico. Um ginecologista, ortopedista... Que importa? Não se lembrava. Apenas se recordava de que ela se casara e que nunca mais a vira. A campainha soou outra vez. Tinham se falado por telefone umas três vezes nos primeiros anos e só. Não eram amantes apaixonados, mas, sim, amigos bem-resolvidos. Aquele tipo de amizade deliciosa entre um rapaz e uma garota, onde sexo não tem importância, pode ser praticado sem restrições. Tânio levou os olhos até o monitor. Era uma mulher agitada, com óculos escuros, que insistia em aguardar. O telefonema para Lizete teria de esperar. Podia ser o dinheiro do aluguel parado ali no corredor. O detetive levantou-se, vestiu seu paletó preto e foi até a porta. Destrancou-a e abriu. Num relance, quando a mulher virava o rosto para encontrar o seu, teve a impressão de que aquela face pálida estava marcada por lágrimas.

A mulher encarou-o e, em seguida, arremessou-se repentinamente para dentro do escritório, abraçando-o abruptamente. Tânio chegou a assustar-se. A mulher agarrou-o com uma força descomunal, tirando-lhe o equilíbrio, quase indo os dois estatelarem-se contra o chão acarpetado.

— Ainda bem que é você! Me ajude, Tânio! Por favor! — chorava a mulher.

— Calma, dona. Calma.

Tânio tentava acalmá-la enquanto dava um jeito de desvencilhar-se daquele abraço apertado. O timbre da voz denunciava desespero legítimo aos ouvidos treinados do detetive.

— Não sei o que está acontecendo, Tânio. Me ajuda. Não sei o que ele quer. Graças a Deus tenho você, Tânio.

Finalmente desvencilhou-se dos braços da mulher aturdida. Havia algo de familiar naquela voz, naquele jeito de falar.

— Preciso que a senhora se acalme e me conte tudo. Vamos ver o que podemos fazer.

A mulher desatou um pranto desesperado. Tânio não fazia idéia do que ela estava falando. A mulher recomeçou com as lamúrias, falando sobre "ele" e sobre não entender. Tânio correu até o frigobar de sua sala e trouxe um copo d'água gelada.

— Tome. Beba isso aqui e acalme-se, por favor.

A mulher estava com o rosto afundado no sofá da recepção, chorando copiosamente.

Tânio pousou a mão em seu ombro. Instantaneamente a mulher tocou-a, parecendo um pouco mais calma. Virou-se para o detetive, retirando os óculos escuros, que se destacavam da pele branca.

Tânio sentiu um arrepio percorrer-lhe o corpo. Aquele rosto...

— Lizete?! Você... — murmurou o homem.

— Pensei que você nem fosse me reconhecer, Tânio.

Ele caiu sentado no sofá. Era coincidência demais!

— Se eu te disser, Lizete, você não vai acreditar... — disse o detetive, ainda atordoado.

Lizete abraçou-o demoradamente. Enfim estava com o amigo.

Tânio tentava imaginar o que haveria acontecido com a amiga para tamanho desespero. Ela parecia ter sido vítima de um trauma muito forte. Estava descontrolada e muito nervosa. Tânio aguardou que bebesse a água toda em silêncio, apenas observando-a. Não havia hematomas visíveis. Sua pele estava pálida, dando-lhe uma aparência doentia, bem diferente da pele bronzeada e viçosa dos áureos tempos de colégio. Tinha um ar de mulher vivida. De dondoca cansada. Onde foram parar aquelas esmeraldas impetuosas que pareciam capazes de devorar o mundo?

Lizete se recompôs. Parecia mais calma. Começou a falar.

— Tânio, tem alguém querendo me enlouquecer. Estou perdendo o juízo. Preciso que você me ajude. Preciso que alguém diga que não estou louca.

— Que está te acontecendo, amiga?

— Tem vozes, todas as noites, às vezes de dia também. Ouço falarem comigo dentro de casa. Eu tô pirando. Me ajude... — Lizete mal conseguiu terminar a frase e voltou a chorar e soluçar, afundando a cabeça no sofá.

Tânio afagou-lhe a cabeça. Fosse o que fosse, era sério demais. Coisas à-toa não deixavam ninguém naquele estado.

— Só escuta essas vozes dentro de sua casa?

Lizete limitou-se a menear a cabeça positivamente, ainda soluçando, tentando controlar-se novamente.

Tânio coçou a cabeça. A amiga estaria precisando de um detetive ou de um psicólogo?

— Eu não sou doida, Tânio. — disse a mulher, como que adivinhando os pensamentos do amigo. — Tem alguém fazendo isso comigo. Eu não agüento mais!

— E o seu marido? Também ouve essas vozes? — Não sei. Não o vejo há muito tempo... estamos divorciados há três anos.

— Você tá encrencada com alguém? Com ele?

Lizete balançou a cabeça, negando.

— Não devo nada pra ninguém. Isso é o que me deixa mais doida.

— O que "elas" dizem?

— O quê?

— As vozes, Lizete. Dizem o quê?

— Chamam-me de "mamãe". Não sei se é uma voz, se são mais. Dizem coisas...

— Que coisas?

— Pedem abraços. Pedem que eu cante. Eu não agüento mais, Tânio. Estou ficando louca! Desesperada! gritou, voltando a chorar.

Tânio afagou-lhe os cabelos novamente. — Você tem filhos?

— Tive. — respondeu com uma voz sumida, embargada pelo pranto que escapava. — Tive um... logo no começo. Ele morreu, Tânio. Morreu...

— Como?

— Pneumonia. Ah, Tânio! Não me deixe sofrer desse jeito! Ele morreu! Ai, meu peito! Agora essas vozes, me chamando de "mamãe"! Eu acho que vou morrer, Tânio.

O detetive ficou ainda mais penalizado. Fosse qualquer outra cliente não deixaria que a comoção tomasse conta dele. Sua profissão era isso. Algumas vezes tornava-se uma espécie de urubu carniceiro. O sofrimento do próximo o tirava do cheque especial. Sentou-se ao lado da amiga. Era a Lizete, pombas! Abraçou-a apertado. Precisava ajudá-la. Ficou abraçado uns instantes, enquanto a amiga desabafava num choro que dizia mil coisas. Ela virou-se no sofá e retribuiu o abraço. Tânio sentiu o corpo quente da amiga. Estarem ali, abraçados num sofá, de certa forma o remetia para o passado.

Quando a mulher se acalmou, convidou o amigo para pernoitar em sua casa. Tânio estava pronto para começar o trabalho.

# Capítulo 3

Tânio chegou por volta das oito horas da noite.

O apartamento de Lizete ficava no bairro do Jaguaré, a poucos metros da divisa de Osasco com a capital. O porteiro o anunciou e indicou o caminho. Lizete o esperava à porta. Tinha os olhos vermelhos e a expressão cansada, como se tivesse chorado a tarde toda.

— Que bom que você chegou! Já jantou?

— Na verdade, não. Seria bom comer alguma coisa.

Tânio entrou e foi conduzido até um sofá na sala. Viu Lizete entrar na cozinha. De lá escapava um cheiro apetitoso e convidativo. Voltou os olhos para a sala. O ambiente era decorado com bom gosto e móveis caros. Certamente o doutor pagava uma pensão gorda a sua amiga. A televisão estava ligada em volume quase inaudível; terminavam os comerciais e entrava o Jornal Nacional. Não deu atenção à telinha, tentando adivinhar o que atormentava a amiga. Vozes. Mais uma vez se perguntou se Lizete precisava mais de um detetive do que de um psiquiatra. Levantou-se e foi até a cortina. Afastou o pesado tecido da parede, do lado esquerdo, olhando-a de cima a baixo. Repetiu a operação do lado direito da sala. Como estava mais próximo agora da televisão, ouviu algo que lhe despertou a curiosidade. Falavam de Osasco. Já havia se habituado a ver sua cidade em destaque no Jornal Nacional, mas, em geral, notícias sobre Osasco vinham recheadas de tragédias macabras, como o caso do shopping da região central da cidade. Procurou o botão para aumentar o volume. Era algo sobre o maldito assassino de crianças.

Lizete voltou da cozinha, mas antes que dissesse alguma coisa, percebeu o interesse do detetive pelo telejornal.

William Bonner chamava a reportagem local. Imagens exibiam manifestantes baderneiros em frente da delegacia central de Osasco. Haviam matado o assassino de crianças em circunstâncias misteriosas. Várias pessoas prestavam depoimentos diante das câmeras da Rede Globo. Manifestantes, policiais, pais de vítimas do psicopata.

— Não sei como eles fizeram isso, dona, mas fico feliz em saber que esse cachorro sofreu antes de morrer. — declarou um senhor barbudo, com os olhos vermelhos, visivelmente emocionado. Uma legenda eletrônica foi exibida, identificando o homem como pai de Priscila Maciel, de doze anos, uma das últimas vítimas de Damião. — Esse safado tinha que ter sofrido muito mais... o que ele fez com a minha menina, dona... o que ele fez, num se faz com animal ninhum, dona. — As lágrimas escaparam dos olhos do homem, enquanto uma fotografia digitalizada da menina era exibida no canto superior da tela.

Outro rosto tomou conta da tela; um rapazinho que pulava gritando "Vivas!" junto ao grupo de adolescentes "punks" dava seu depoimento:

— É isso aí memo. Esses filho da puta tem tudo que se fudê memo. Cê sabe que lá dentro o coro côme. Se num é Deus é o Diabo. Estrupador tem que se fudê, tá certo! — Um "bip" eletrônico tentava encobrir cada palavrão do rapaz.

Mais um rosto foi exibido, e a câmera estava agora em uma área interna da delegacia. Uma legenda eletrônica identificava o entrevistado como Márcio Bittencourt, investigador policial que estava na delegacia na noite do incidente.

— Olha, foi tudo muito rápido, a gente não teve tempo de fazer nada pelo elemento. A gente só ouviu gritos e mais gritos que pararam como começaram, sem explicação, e quando abrimos o xadrez o homem já tava morto. Se eu fiquei feliz? É claro que não, meu trabalho é fazer os outros pagarem de acordo com a lei. Fantasmas? Não, eu não acredito em fantasmas... mas depois da noite passada, eu não sei de mais nada.

As entrevistas acabaram e a tela agora exibia o âncora do Jornal Nacional comentando a notícia.

— Como vocês puderam ouvir, nossa repórter local perguntou ao policial se ele acreditava em fantasmas. A questão foi levantada porque, de acordo com relatos de outras testemunhas do incidente, um dos policiais afirma que três crianças entraram na cela, mataram Damião e, quando a porta finalmente foi aberta, desapareceram, não havia mais nada lá dentro, a não ser o corpo do detento. — Um leve sorriso escapou do rosto do apresentador, que prosseguiu com o telejornal.

Lizete estava boquiaberta.

— Dá para acreditar nessa história, Tânio?

— Sei lá. Eu conheço muito bem o Bittencourt. Ele diria qualquer coisa para aparecer. Amanhã eu dou um pulo lá na delegacia para saber se esse negócio de fantasma é verdade mesmo.

Lizete benzeu-se.

— Será que é isso que está acontecendo comigo? Essas vozes... poderiam ser um fantasma?

— Um fantasma?

— Pelo menos faria sentido, Tânio. — Lizete estava atônita, seus olhos tornaram-se embaçados, perdidos e avermelhados pelo choro iminente. — Perdi um filho. Só um fantasma me chamaria de "mamãe". O fantasma do meu bebê.

— Acho que não é nada disso, Lizete. Pode ser um monte de coisas...

— O que pode ser? Me diz uma coisa que possa ser.

— Calma, Lizete. Tem muita coisa, sim. Pode ser um fenômeno, um distúrbio, um trote.

— Distúrbio. Eu sabia, Tânio. Sabia que você ia me chamar de louca. — disse a mulher, sentando no sofá e iniciando mais uma crise de choro.

— Não estou falando de distúrbio psicológico, Lizete. Estou falando de distúrbios físicos. Infecções no aparelho auditivo causam reações bem estranhas. Aposto que você não sabia disso. Mas já que você me lembrou, pode até ser alguma coisa psicológica, sim. Você me disse que perdeu um filho ainda novinho...

— Isso já faz nove anos...

— ...divorciou-se. Foi recente, não foi?

A mulher confirmou com um meneio.

— Mas ainda tem tanta coisa, não estou dizendo que é isso.

— Você disse alguma coisa de trote, não disse?

— Sim. Eu já vi criançada fazer coisas de que até Deus duvida. Antigamente nossa diversão era tocar a campainha da dona Maria e sair correndo... hoje em dia essas amolações ficaram mais sofisticadas.

Lizete, mais calma, enxugou os olhos verdes com as mãos. Ficou calada, sem evidenciar se concordava ou não. Ficou ali, estática por alguns segundos, até que saltou repentinamente para o meio da sala e saiu correndo feito louca que foge do hospício.

— O fogo! Cacete!

Faltavam quinze minutos para a meia-noite. Tânio estava acomodado no sofá. É verdade que preferia estar lá no quarto, junto com a morena Lizete. Teve que conter seus ímpetos nostálgicos: naquela noite estava ali para trabalhar, não para namorar. O estômago estava cheio de um jantar chamuscado, mas, a despeito do acidente, muito saboroso. Estava quieto, prestando atenção no silêncio. Apostava que a amiga já viajava no mundo dos sonhos. Nenhum ruído vinha do quarto da mulher. Após pensar um bocado, seu faro de detetive falível dizia que Lizete estava sofrendo uma crise de estresse. Algum tipo de distúrbio. Separação não é fácil para a cabeça das pessoas. Tinham perdido um filho durante o casamento. Sem contar que ela ainda não lhe revelara as causas do divórcio. Traição? Ciúme?

Um grito de criança invadiu o apartamento.

Tânio sentiu o corpo estremecer. Aquele grito infantil invadira a sala e o pegara de surpresa. Levantou-se com um salto felino, colocando-se de prontidão. Apurou os ouvidos. Ouviu uma risada de moleque vindo do corredor. Caminhou pé ante pé até o quarto de Lizete. Silêncio. Novamente as risadas cruzaram o apartamento. Foi até o fim do corredor, de onde as risadas pareciam vir. Havia ali a porta, semi-encostada, do banheiro. Ouviu mais um grito nitidamente. A voz infantil gritava "vem me pegar". Tânio empurrou a porta e um calafrio sinistro cruzou-lhe a espinha ao descobrir o pequeno cômodo vazio. Ouviu mais uma vez a ordem do "garoto invisível". Entrou no banheiro. A voz vinha da pequena janela. Subiu no vaso sanitário e tentou enfiar a cabeça pelo vão do basculante. Mais vozes encontraram seus ouvidos. Sem dúvida, Lizete não estava enganada. Eram crianças. Desceu do vaso, voltando para o corredor. Foi até o quarto de Lizete e, levemente, girou a maçaneta redonda. A amiga estava deitada em sua cama, dormindo profundamente. Seus olhos percorreram o corpo esguio da morena, que, apesar do frio discreto, não usava coisa alguma além de uma bela camisola acetinada.

Deixou o quarto. Saiu do apartamento em silêncio. Desceu pelas escadas até o piso térreo e guiou-se pelos sons da garotada até onde elas brincavam. Quando se aproximou, foi avistado pelos guris, que debandaram assustados, como pegos em travessuras arriscadíssimas. Brincavam onde o desenho do prédio formava uma reentrância e, bem ali, havia uma estreita portinhola metálica. Tânio arrastou-se por ela, atingindo um estreito corredor. Caminhou um pouco pelo corredor apertado e percebeu pequenos quadros de luz estampados de espaços em espaços. Não foi preciso muita inteligência para entender que aqueles quadros de luz eram das pequenas janelas dos banheiros que se encontravam com as lâmpadas acesas naquele exato momento. Um sorriso largo tomou-lhe o rosto. Pronto. Mais um caso intrigante e misterioso solucionado pelo intrépido detetive Tânio Esperança. Arrastou-se para fora novamente. Um entusiasmo repentino tomou conta de sua cabeça. Não via a hora de contar para a amiga que seus problemas estavam prestes a acabar. Estava tudo claro, transparente como água. Quem eram os pais daqueles meninos malucos que brincavam num frio daqueles à meia-noite? O elevador parou e imediatamente abriu a porta. Tânio aproximou-se da porta do apartamento e, antes de tocá-la, ouviu barulho lá dentro. Entrou rapidamente. Lizete estava na sala, aos prantos.

— Onde você estava? — perguntou a mulher, desnorteada, atirando-se nos braços do detetive.

— Você... você estava dormindo... o que aconteceu, Lizete?

— Você ouviu? Ouviu a voz do menino me chamando de mamãe?

— Ouvi, Lizete. Ouvi o menino.

Lizete então misturou riso ao choro, demonstrando um descontrole completo.

— En... então não estou lo... louca? — perguntou aos prantos.

— Não, Lizete. Não está.

Tânio abraçou a amiga bem apertado. Esperou até que ela se recuperasse. Precisava contar o que se passava. Do que se tratavam as vozes que tanto a afligiam.

Lizete acalmou-se em poucos minutos. Seu silêncio procurava certificar que as vozes haviam cessado. Aninhou-se no peito do amigo, não se sentindo uma estranha ali, novamente acalentada no lugar onde estivera inúmeras vezes. Mais calma, perguntou:

— Você ouviu mesmo?

— Ouvi, Lizete. Ouvi e descobri.

— Descobriu o quê?

— O basculante do banheiro. Ele dá em um vão contíguo a todos os basculantes deste lado do prédio. É um grande espaço fechado, com um pequeno e estreito corredor lá embaixo, que deveria estar trancado a esta hora, mas estava aberto. O que acontece? Os moleques que ficam brincando até tarde entram nele e fazem a maior algazarra. Quando ouvi o primeiro grito, não vou mentir, gelei. O negócio assusta mesmo.

— Mas não é...

— Lizete, são só crianças brincando. Até eu me assustei, é claro que você pode ter ficado apavorada, ainda mais nessas condições.

— Que condições, Tânio? Você veio aqui para me ajudar, não para me analisar, me ofender! — estrilou a mulher, levantando-se do sofá e afastando-se do amigo.

— Calma, Li. Só estou dizendo que você está sozinha aqui neste apartamento, numa hora dificil. É fácil se impressionar com as coisas.

— Eu sempre estive sozinha, Tânio. Não é estar sozinha que me faz ouvir esse menino.

— Lizete, não estou te ofendendo. Estou te ajudando. Você me chamou aqui para fazer o que sou pago para fazer. Descobri de onde vem a voz de criança que você escuta. São moleques baderneiros que não têm pais para cuidar. Ficam até meia-noite lá embaixo, assustando os outros. Caso encerrado. Agora, o que você vai fazer com essa informação é problema seu.

— Você ouviu eles me chamarem de mamãe? Eles me chamaram de mamãe?

Tânio levou a mão à cabeça. Já estava próximo da porta.

— Não. Não ouvi. Também não quer dizer que não disseram.

Tânio foi até a porta. Antes de sair, despediu-se:

— Até mais, Li. Se precisar de alguém para conversar, você me chama. Sabe onde me encontrar. Sinceramente, acho que você precisa de alguém para te ajudar a lidar com essa sua nova situação. Medo é desgastante.

— Vai embora daqui, Tânio. — disse Lizete, com a voz embargada e sumida.

Tânio chamou o elevador. Enquanto aguardava ouviu Lizete trancar a porta. Por que as mulheres não aceitavam a realidade com facilidade? Sempre fora assim em sua profissão. Cliente mulher é bicho complicado. O elevador chegou. Ligaria para a amiga pela manhã. Deveria estar mais calma, suscetível a uma conversa mais amena. Entrou enquanto a luz se apagava automaticamente às suas costas. Bateu a cabeça duas vezes contra a parede dos fundos do elevador. Virou-se antes da porta se fechar completamente e seus olhos se arregalaram. O susto fez com que um arrepio ligeiro cortasse suas costas. Havia um menino ali, no corredor, olhando-o fixamente. Ficou imobilizado por um instante, o suficiente para a porta metálica deslizar até o final e o elevador iniciar a descida. Ainda tentou interromper a marcha da máquina apertando o botão destinado a abrir a porta. Não dava mais tempo. Acionou o botão de emergência, fazendo o elevador parar num solavanco. Tânio deixou o elevador e subiu dois andares pelas escadas. Aproximou-se em silêncio do nono andar, onde a amiga residia. Aquele menino poderia ser um dos que brincavam lá embaixo. Ou poderia estar apenas impressionado com essa coisa toda. Ver vultos na escuridão era muito comum para o detetive. Sempre fora um cara cismado. Precisava averiguar. Para seu bem e para o bem de Lizete. Abriu a primeira porta metálica, esperando a mola fechá-la, apoiando-a com a mão para que não fizesse o menor ruído. Abriu uma pequena brecha pela porta que dava para o corredor do andar. Examinou-o até onde os olhos alcançavam. Era tudo escuridão. Seus olhos, acostumados à tocaia, não divisaram sombra alguma. Nenhum menino. Terminou de abrir, silenciosamente. Passou para o corredor. Acionou a luz temporizada. O corredor pequeno não deixava dúvidas. Não havia ninguém ali. Foi até a porta do apartamento de Lizete e tocou a campainha. A amiga não demorou para atender. Encarou o detetive com os olhos vermelhos.

— Acho que esqueci minhas chaves no sofá, Lizete. Você pode dar uma olhada para mim?

Lizete foi até o meio da sala.

Tânio deu dois passos para dentro para examinar melhor o apartamento. A amiga parecia, dentro do possível, mais calma. Nenhum garoto engraçadinho tinha estado ali para importuná-la.

— Não encontrei nenhuma chave. Quer olhar você mesmo?

Tânio foi até o meio da sala. Abaixou-se junto à mesinha central e fingiu encontrar ali alguma coisa.

— Aqui está. Sem elas não entro em casa.

Lizete indicou-lhe a porta.

O detetive voltou ao corredor. A luz automática já havia se apagado.

— Amanhã eu te ligo. — disse para a amiga, antes de chamar o elevador.

Lizete, sem nada dizer, voltou a trancar a porta.

Apesar de chateado, Tânio estava mais aliviado. Fora vítima dos próprios olhos. Não tinha nenhum fantasma ali. Nenhum moleque travesso. Só seus olhos.

# Capítulo 4

— Papai! Está acordado, papai? — pergunta o menino, aproximando-se da cama.

O homem ouve o pequeno ser que caminha em seu quarto. Cobre-se ainda mais, como se um frio sobrenatural tomasse conta do lugar.

— Papai, quero conversar um pouco.

O menino caminha lentamente, aproximando-se pé ante pé do leito onde repousa seu pai. Dá uma série de pulinhos, como se brincasse de amarelinha.

— Sabe o que eu aprendi hoje, papai? Aprendi a brincar com bolinha de gude. Você quer me ensinar também, papai?

O menino abaixou-se e arremessou uma bolinha no assoalho. O brinquedo de vidro rolou pelo chão de tacos, produzindo um horripilante som fantasmagórico.

O homem estremeceu. Virou-se repentinamente, ainda deitado, deixando apenas os olhos espiarem o quarto pela fresta que arranjou no pesado cobertor. Aquele som. A bolinha de gude. Sim, era fantasmagórico. Era fantasmagórico porque não deveria existir brinquedo algum ali. Não deveria existir menino tagarela nenhum em seu quarto. Beirava a insanidade. Seria descoberto e nunca mais poderia clinicar em sua vida. Um médico louco, com um menino louco no sótão da cabeça. Não tinha filho que pudesse chamá-lo de papai. Tinha agora, ali, diante de seu olho amedrontado, uma espécie de espectro que andava, falava e saltitava amarelinha em seu quarto. Um fantasma que o chamava de papai.

— Papai, cê tá acordado?

O menino deu dois passos em direção à cama.

O homem remexeu-se num susto reflexo.

— Eu vi você se mexendo, papai. Fala comigo.

A voz era terna. Voz de menino de oito anos.

Inocente.

O homem chorou. Duas lágrimas escorreram dos olhos. O medo se apoderava da mente, da lógica. O único filho que tivera falecera há muito tempo.

— Papai, você viu minha bolinha?

O homem mudo continuou quieto. Talvez se permanecesse daquele jeito, aquela assombração fosse embora, como da última vez.

— Fala comigo, porra!!! — vociferou o espectro, enfurecido, escancarando a boca.

O grito fora tão feroz que o homem saltou da cama para um canto do quarto. Caiu enrolado no cobertor, deixando a cabeça e o peito descobertos, olhando a pequena criatura com seus olhos esbugalhados.

— Fala comigo, papai. — pediu o menino novamente com a voz suave.

— Es... estou com... me-medo. — balbuciou o médico.

— Não tema, papai. Não tema por enquanto.

O pequeno ser retirou outra bola de gude do bolso e arremessou-a ao chão. Riu como uma criança riria.

— Você é meu papai. Quero ser seu filho. Quero passear. Você me leva para passear?

O homem assentiu, movendo a cabeça lentamente.

— Por que você não me escolheu, papai?

— Como?

— Por que você não me escolheu?

— Porque eu não te conhecia.

O menino riu longamente, sentando-se no chão, com as pernas cruzadas.

— Como um pai não reconhece um filho? Como, papai?

O homem não sabia o que dizer. O único filho falecera. Nunca mais quisera um outro. O pequeno Bruno nunca brincaria de bolinha de gude, nunca empinaria uma pipa amarela.

— Bruninho? É você, meu filho?

O pequeno fantasma mais uma vez transmutou suas feições. Estava feroz novamente.

— Não! Não sou o Bruno, papai!

— Quem é você, então? O que eu posso fazer?!

— Eu sou o Pedro! Me escolha! — vociferou o pequeno monstro.

— Não tenho nenhum filho chamado Pedro!

O pequeno correu até o canto e agarrou o homem pelo pescoço com as duas mãos. Fincou o pé no chão e arremessou-o acima de seu pequeno corpo, como se o homem fosse feito de pano, jogando-o contra a parede oposta do quarto.

O homem caiu de cabeça, desmaiado, à mercê da pequena fera.

Pedro aproximou-se do pai uma vez mais. Tinha restabelecido o semblante sereno. Caminhou com calma. E cochichou ao ouvido do pai desacordado:

— Você vai aprender, papai. Você vai aprender.

* * *

Rogério acordou com o sol batendo no rosto. Seu queixo doía à beça. Levantou-se vagarosamente, sentindo uma dor lancinante cortar os músculos superiores das costas. Olhou em volta no quarto. Nem sinal do pequeno demônio. Era um homem forte e equilibrado, exceto na presença daquele que se dizia seu filho. Notou que sua mão esquerda tremia. Resquícios do estresse sofrido durante a madrugada. Apanhou um cigarro no criado-mudo e acendeu com certa dificuldade. Sentou-se na cama, deixando a cabeça pender entre os joelhos. Iria procurar ajuda profissional. Aqueles pesadelos não poderiam continuar devorando sua sanidade. Estavam cada vez mais realísticos.

Nem chegava a se impressionar com o fato de ter terminado a noite no chão, como se realmente houvesse sido arremessado pelo pequeno Pedro contra a parede. Sorriu. Pedro? Até nomes o subconsciente estava inventando.

O homem foi até o banheiro jogar água no rosto. Chegaria atrasado ao consultório. Que horas seriam? Certamente mais de dez. Abriu a torneira da pia e enxaguou a cara. Sentiu o queixo doer quando pressionou a região. Teria caído de cara no chão? Sem acordar? Levantou o rosto para o espelho a fim de se examinar melhor. Ao bater os olhos em si mesmo, um calafrio rápido fê-lo estremecer. Seu pescoço estava arroxeado, como se duas garras o houvessem estrangulado. Aproximou-se mais do espelho. Os hematomas estavam realmente feios. Seria melhor avisar Sheila e nem aparecer no consultório. Estava precisando de ajuda, e rápido.

Rogério saiu do banheiro apressado, descuidado, e pisou em algo que o fez desequilibrar-se. Caiu, batendo o braço violentamente contra o pé da cama.

— Caralho! — gritou enraivecido.

Um som fantasmagórico encheu os ouvidos. Os olhos paralisaram quando viram duas bolinhas de gude percorrendo o assoalho, produzindo o característico ruído da "estecada" ao se chocarem contra a parede.

# Capítulo 5

Tânio combinara pela manhã de encontrar a amiga ao anoitecer. Acabava de encostar o carro na rua do condomínio onde ela morava. Desativou o limpador do pára-brisa, deixando a fina garoa tomar conta do vidro. Recostou-se no banco, espichando as costas. Enquanto observava as gotículas ajuntando-se no pára-brisa, o detetive repensava se contaria para a amiga a conversa que tivera com o delegado do distrito central de Osasco.

Após o café da manhã dirigira-se até a delegacia. O delegado fora companheiro de futsal na tradicional quadra da Adamas. Era a ele que Tânio recorria para buscar informações e apoio em casos mais cabeludos. Teve de esperar mais de uma hora até sobrar cinco minutos para trocar algumas palavras com o delegado Wílson. O delegado, um oriental, descendente de japoneses, na casa dos cinqüenta anos, fizera uma pausa para um ligeiro café e convidou o amigo para acompanhá-lo. Saíram a pé da delegacia em direção à rua Antônio Agu. Tânio não demorou, foi direto ao assunto.

— O japa, que foi que aconteceu com o Damião naquela noite?

— Ih, rapaz, esse assunto vai longe ainda. Cê me conhece, né? Não sou de dar opinião antes da hora, mas que foi um troço esquisito, isso foi. Até o prefeito tá querendo saber o que aconteceu naquele dia. Desse modo não tem jeito, sou obrigado a "achar" alguma coisa.

— Mataram o homem?

O delegado meneou a cabeça, concordando com o amigo. Indicou a porta da biblioteca, que ficava ao lado da delegacia.

— É aqui que vamos tomar nosso cafezinho. Preciso apanhar um livro.

Tânio seguiu o delegado, esperando que ele próprio lhe desse mais detalhes.

Chegaram ao balcão de atendimento. O delegado distribuiu sorrisos para as recepcionistas e aguardou até que sua predileta se aproximasse.

— Alicinha, meu anjo louro. Pode me conseguir este livro aqui? — pediu Wílson, colocando um pedaço de papel no balcão com algum nome anotado a lápis. — Vê se arranja aquele café gostoso para mim e para o meu camarada, faz favor.

— Tá achando que isso aqui é balcão de padaria, doutor? — indagou a encarregada da recepção, enquanto Alice já se prontificava a atender o delegado.

— Não, Laura. É que sem o cafezinho eu tenho que sair logo daqui.

— E perde o prazer da nossa companhia, não é, sabichão?

— Isso mesmo, Laura. Isso mesmo. — respondeu Wílson, bem-humorado, balançando o dedo em riste.

Sentaram-se, aguardando num longo banco de madeira.

— O delegado, pára de dramatizar esse negócio. Conta logo tudo que você sabe.

Wílson coçou o nariz. Era assim que sempre começava uma história complicada.

— A Corregedoria já caiu em cima do caso. Tive que afastar três amigos...

— O Márcio?

— O Márcio, o Vina e também o Sílvio.

— Eles mataram o pobre diabo, foi?

— Tão dizendo que não. Eu conheço muito bem aqueles três. O Vina nunca mentiu pra mim, agora o Márcio e o Sílvio quando tão junto, os caras são fogo. Se o Vina tá dizendo que não mataram é porque não mataram. Ele tem aquele jeito de bundão, mas ele não se vende, não, é ponta firme comigo.

— Que é que o senhor tá achando então?

— Olha, Tânio, esses anos todos de polícia já mostraram uma porção de coisas estranhas que fizeram esses meus olhos puxados se arregalarem...

Tânio riu.

— É, você sabe, você viu também. Mas esse negócio que o Vina tá me dizendo... Acredito que ele não matou o filho da puta do Damião, mas esse negócio de fantasma... dá um tempo. Cê acredita nesse troço?

Tânio deixou o sorriso se apagar lentamente enquanto se lembrava do garoto no corredor.

— Não, não acredito... mas se o Vina tá dizendo, você mesmo disse que o cara é ponta firme, pô.

— É isso que tá me consumindo por dentro, Tânio. O cara não ia tirar isso da cartola, ainda mais sabendo que a Corregedoria iria cair em cima em menos de vinte e quatro horas. Esse assunto do Damião é coisa de rede nacional, tá todo mundo em cima. Hoje cedo eu dei entrevista para o SBT, pra Record, pro Canal Onze e o caralho a quatro. Até aquele louco da Globo esteve aqui.

— Que louco?

— Aquele careca, alto, que fala rápido.

— Canuto?

— É. É isso aí, Marcelo Canuto.

— É Márcio Canuto, “o fiscal do povo”.

— Que seja. Ele veio, filmaram aí, ficaram de blá-blá-blá, e, quer saber, parece que tá todo mundo tirando sarro de mim. Ninguém engole essa história de fantasmas na delegacia. Eu vou ter de engolir esse sapo sozinho?

— Mas conta pra mim como foi essa história de fantasma.

— O Vina disse que já ia na madrugada quando três crianças entraram na delegacia. Três criancinhas, não eram pivetes, não. Ele achou que a meninada ia tomar água e se mandar, mas percebeu que eles não pararam para beber água coisa nenhuma. Quando ele tirou a bunda da cadeira, os três já tinham passado pelas grades do corredor, como mágica, porque as grades estavam trançadas.

— Certeza?

— Certeza eu não tenho, quem tem que ter é o Vina. Ele me jurou que teve de destrancar as grades para poder ir até a carceragem. Depois não conseguiu destrancar a porta da cela, e a coisa toda aconteceu. O Márcio e o Sílvio só chegaram quando os "fantasmas" tinham entrado, não viram nada, só ouviram.

— Ouviram?

— É. Ouviram o Damião suplicar pela vida, como um molecote chorão, como ele deve ter ouvido das vítimas pelo menos uma dúzia de vezes. Se fodeu.

— E aí?

— E aí que quando abriram a porta, com a ajuda de um serralheiro, o Damião tava do jeito que tava, todo estropiado. É difícil de acreditar que três "fantasmas-crianças" fariam aquilo ali com ele. É coisa de gente grande, com ódio muito grande, e bastante material, sem essa de Gasparzinho.

— Que cê acha da coisa toda?

O delegado ia continuar quando foram interrompidos pela atendente loira, que se aproximou trazendo o livro requisitado à mão. Tânio bateu o olho no título de relance. Alicinha estendeu dois copos plásticos cheios de café.

— Se o negócio é "achismo", acho que abriram a cela dos presos comuns e os deixaram dar um cacete no Damião. Os meninos é que não foram. São tudo cobra criada, não iam colocar a mão no vagabundo do Damião com a mídia toda interessada nesse marginal. Acontece que exageraram e o merda morreu... Se não foi isso, deixaram alguns pais descontentes com a lei entrar e surrar o desgraçado até a morte, o que eu, particularmente, acharia mais justo. Mas se todo delegado começar a querer endireitar nossa justiça, isso aqui vai virar uma bandalheira, Deus o livre. O que tem de malaco véio que tá precisando desaparecer não é brincadeira, e tem uma porção aqui, do lado de dentro mesmo.

— Então o Vina mentiu para o senhor?

— Mentiu. Esse negócio de fantasma é dificil de engolir. Almas não perambulam por aí.

— E por que diabos o senhor vai ler *Violetas na Janela*?

— Não sei, me disseram que é bom e que tem espíritos na estória, quem sabe isso aqui não abra um pouco essa minha cabeça dura.

Terminaram o café relembrando as peladas no clube Adamas, o que encheu a biblioteca de boas e sonoras gargalhadas sem a reprovação das funcionárias públicas. Era bom ser amigo de delegado.

Essa estória toda de fantasmas na delegacia não ia fazer bem para a mente perturbada de Lizete. Era melhor omitir, pelo menos por enquanto. Desceu do carro e foi até a portaria para ser anunciado. O pretexto do encontro fora a solução do caso e o acerto de contas com a cliente. Não iria pagar todas as pendências em atraso, mas pelo menos um aluguel já estava garantido. Não poderia enfiar a faca na própria amiga. Ainda mais porque não correra nenhum risco e não fora nenhum quebra-cabeça complicado solucionar aquela situação.

O elevador parou no nono andar. A porta do apartamento estava aberta. Tânio caprichara nas roupas e no perfume, era a hora perfeita para retomar aquela amizade calorosa dos tempos da adolescência.

Lizete surgiu à porta dentro de um curto vestido preto. Os olhos do detetive saltaram. Um segundo depois voltou ao controle pleno dos pensamentos e notou a face aflita da amiga. Não recordava de um instante sequer em que aquela feição estivesse relaxada desde o reencontro.

— Venha, Tânio. Temos de conversar seriamente. Pare de me achar uma louca.

— Nunca disse que você é louca. — retrucou o detetive enquanto beijava o rosto da amiga.

Tânio seguiu Lizete e na sala encontrou mais uma pessoa. Um homem loiro, na casa dos quarenta anos, com os olhos vermelhos e expressão desesperada, como uma imitação da amiga quando entrara em seu escritório.

— Quem é ele? — perguntou o homem.

— É um amigo meu. Chamei-o para me ajudar.

Os dois cumprimentaram-se rapidamente.

Sentaram-se os três. O homem bebia vodca como quem bebe água.

Como os dois permanecessem em silêncio, Tânio, mais descontraído, porém decepcionado por não estar a sós com a amiga, puxou conversa.

— Por que está assim, amigo? Tem algum "fantasminha" te chamando de mamãe?

O homem caiu na gargalhada. Só então Tânio teve noção do quanto ele estava embriagado. Tânio riria junto se não houvesse notado o olhar fuzilante que Lizete lhe lançara primeiro. Certamente fora rude de sua parte, não respeitara o "porre" do homem, muito menos respeitara o voto de confiança de sua amiga. Um amador, fora um tremendo amador.

— Tânio, pensei que tivesse feito a escolha certa. Você costumava ser meu amigo antigamente. Como a gente se decepciona com as pessoas, Santo Deus!

— Deixa, Lizete! Não te falei que todo mundo ia tirar sarro da nossa cara? Como isso veio, isso vai. Todo mundo ri de quem vê fantasmas ... Deixa pra lá. Ele foi o primeiro, mas ainda dá tempo de ser o último.

— Pára de beber, Rogério. Você já está bêbado o suficiente.

Rogério levantou-se enraivecido e atirou o copo contra a parede da sala.

Tânio preparou-se. Se aquele cara era do tipo que ficava valentão com a bebida, ia ter uma desagradável surpresa naquela noite. O detetive preparou os punhos e o tiraria de ação ao menor sinal de agressão contra a amiga.

— Não sou nenhum palhaço! Ninguém vai rir de mim por aí! Você não vai contar isso para ninguém, Lizete. Pode acabar comigo. — Virou-se para Tânio. — E você? Quem é? Algum pai-de-santo? Como pretende nos ajudar?

— Sou detetive. E se a Lizete ainda não te informou, já descobri o que estava acontecendo por aq...

— Um detetive? Ótimo. Parece que estou no seriado do Magnum. Ou será A Gata e o Rato?

— Sente-se, Rogério. — pediu Lizete, puxando o homem, que caiu sentado no sofá, desequilibrado. — Tânio acha que sabe o que está acontecendo, mas você me provou que ele está errado. Sente-se e conte novamente o que você já me contou.

Tânio tentava decifrar as palavras da amiga. O que aquele pau-d'água teria descoberto?

— Não estou entendendo merda nenhuma, Lizete. Dá para explicar?

— Esse senhor educado é meu ex-marido. Ele também está sendo "visitado". Viu coisas, ouviu coisas.

— Fantasmas?

— É. — emendou Rogério, afundado no sofá, sisudo e de olhar compenetrado. — Só pode ser fantasma. E eu, que nunca acreditei nessas coisas de espíritos, Jesus, macumba...

— Mas o que você viu?

— Um menino, detetive. Por três noites seguidas tenho recebido a visita de um menino que me chama de...

— Papai? — adivinhou o detetive, sentindo um arrepio tomar-lhe os braços.

— É. Me chamou de papai, pediu para eu brincar e o cacete. É arrepiante. Qualquer otário que aparecesse me contando essa história eu mandava para o inferno. Não ia acreditar nem a pau! Até você não acredita, não é?

Tânio não respondeu.

— Eu não queria acreditar também. Achava que estava sofrendo uma repetição de pesadelos. Pesadelos terríveis. — lamentou Rogério, abaixando a cabeça e levando uma das mãos aos olhos.

— O que lhe mostrou que não eram pesadelos.

Rogério ergueu a cabeça encarando o detetive. Abriu a camisa e pendeu o corpo em direção a Tânio.

— Pesadelos não deixam hematomas, detetive.

Tânio examinou as marcas rapidamente. Seu olho estava treinado com machucados e espancamentos. Aquela marca era típica de enforcamento. Talvez Rogério estivesse encrencado com algum marido traído ou com agiotas; talvez estivesse falando a verdade; fora, sim, agredido por um fantasma. Tânio levou uma das mãos à cabeça, enfiando-a nos cabelos. Sentia-se entrando em uma sala escura, pisando em terra virgem. Não sabia o que dizer para aqueles dois, caso estivessem falando a verdade. Era melhor acreditar que estavam sendo vítimas de alguma falcatrua. Algum truque. O que aqueles dois tinham para esconder? Ou o que queriam tirar daqueles dois? Dinheiro sempre era a resposta.

— Tiveram um filho, não foi?

Lizete e Rogério entreolharam-se. Os olhos da mulher se avermelharam. Tânio sabia que aquele era um assunto duro para a amiga relembrar.

— Tivemos. Morreu de pneumonia. Tinha um ano e meio. — revelou a mulher, com olhos vidrados e voz emocionada.

— Como eu pude deixar? Como, meu Deus? — perguntou-se o médico.

Lizete atravessou o espaço que separava os dois sofás, caindo de joelhos junto ao ex-marido. Começou a esmurrá-lo.

— Pare de se culpar! Pare! Pare! Pare! — gritou, batendo no ex-marido.

Rogério abraçou-a com ternura. Tinha o semblante sofrido e, por um instante, Tânio teve a impressão de que o homem estava mais sóbrio que o pastor mais rigoroso.

O detetive levantou-se e foi até a janela.

— Sei que isso é doloroso, doutor, mas o fantasma... ele se parecia com o falecido?

Lizete soluçou alto, pranteando nos joelhos do ex-marido.

— Sim... não! — respondeu vacilante.

— Sim... não... o quê?

— Ele, detetive... ele tinha uma semelhança com o Bruno, sim, mas era diferente ao mesmo tempo, era bem maior que o Bruno... não poderia... como se ele tivesse envelhecido, entende, como se o tempo tivesse continuado a passar... inclusive quando o chamei pelo nome de meu filho ele ficou furioso. Ficou furioso e disse que se chamava Pedro.

Antes do médico concluir a frase, Lizete tinha levantado a cabeça e encarava-o. Quando Rogério terminou, levou a mão à boca.

— Ah, meu Deus, Tânio! O menino me disse o mesmo nome.

Lizete voltou ao pranto, ainda mais forte.

Era coincidência demais para uma obra do acaso. Alguém estava jogando com aqueles dois. Disso Tânio tinha certeza. Sentou-se no sofá, observando o casal abraçado, em prantos. Iria descobrir quem e por quê. Quanto a isso também tinha certeza. Partiria para uma nova linha de interrogatório pela manhã. Lizete não estava em condições de responder, muito menos o ex-marido, embriagado. Levantou-se e foi até a cozinha. Apanhou um copo e voltou à sala para enchê-lo de vodca. Uma dose de álcool, às vezes, desinibia as idéias, e seu faro profissional dizia que iria precisar de muitas.

# Capítulo 6

Naquela mesma noite chuvosa, em que Tânio fora ao encontro de Lizete e seu ex-marido, não muito longe do apartamento da mulher, coisas sinistras mostravam que "estranhezas" não eram exclusividade da recente cliente do detetive.

Ana tentava se proteger da chuva. A barriga pesava muito, e o tamanho não permitia que ela corresse. O ônibus a deixava longe de casa, e o caminho oferecia pouco abrigo e muito perigo nos dias chuvosos. Em grandes trechos o barro transformava-se em lama, uma armadilha traiçoeira para uma gestante chegando aos nove meses. Tudo que Ana queria em dias como aquele é que o safado do Alfredo, que a engravidara, ainda fosse seu companheiro. Sentia uma inveja danada das outras grávidas que eram cobertas de carinho e atenção por seus maridos, namorados ou o amigo que fosse. Morria de medo de seu filhinho crescer sem um homem por perto. Lia muito, sabia que um pai era coisa importante. Ninguém em sua casa se preocupava em apanhá-la com uma sombrinha no ponto de ônibus. Quando chegava do trabalho cansativo atrás do balcão de uma padaria, a turma da casa já estava dormindo. Não havia espaço para carinhos e solidariedade no barraco apertado, dividido por cinco pessoas em dois cômodos pequeninos. Para a família, Ana estava trazendo mais uma boca para alimentar. Sabia que nem todos no bairro eram assim. Quantas vezes não vira gente humilde como ela, passando até maior dificuldade, ser o tipo de gente mais carinhosa e atenciosa na face da terra! Inúmeras! A dona Yolanda, por exemplo, tinha dia que não tinha o que comer, mas sempre arranjava tempo para contar histórias de ninar aos seus cinco meninos. Ninguém tem idéia do que é isso. Contar historinhas de dormir para crianças famintas. Uma lágrima desceu pela face. Queria desviar a cabeça daqueles pensamentos. Não bastasse a chuva engrossar no meio do caminho, um vento frio castigava as roupas molhadas da menina-mãe. Ana apressou-se, quase correndo. Dentro da padaria, o dia todo próxima ao forno, deixava seu corpo e sua barriga quentes, e enfrentar aquela chuva poderia adoecer o bebê, preocupou-se a mãe, alisando o ventre ao sentir um carinhoso movimento interno. A menina descuidou-se, e seu tênis deslizou na lama, levando o corpo ao chão. Ana protegera a barriga, caindo de cotovelo e rolando por cima do ombro. A moça deu um grito, e uma dor lancinante tomou conta de seu braço. Sentiu a barriga endurecer como pedra. Aquilo era uma contração. Seu sangue gelou, esquecendo instantaneamente a dor forte no braço para concentrar-se em seu bebê. Teria machucado o pobrezinho? Era isso que ela se perguntava, enquanto se sentava ali na chuva, esquecendo-se de ir para casa, tentando sentir um movimento do bebê que a acalmasse. A barriga continuou dura. Ana começou a chorar. Ergueu a cabeça para o céu, como se pedisse a Deus por ajuda. Os olhos encontraram alguém caminhando em sua direção. A chuva apertara ainda mais, passando agora para uma tempestade feroz. Ana tentou levantar-se. O pé doía, provavelmente tinha torcido. Olhou para a frente novamente para se certificar de que vinha alguém. Percebeu que eram dois homens e que já estavam a poucos metros. Sentada, alisou de novo a barriga, pois sabia que suas mãos tinham o dom natural de acalmar a cria.

— Cê tá bem? Eu vi tudo. — gritou o homem que chegou primeiro.

— Me ajuda aqui. — pediu a mulher.

O homem de braços fortes estendeu a mão para a menina, conseguindo colocá-la de pé.

Ana gritou, quase caindo ao chão. Seu pé doía demais para apoiar-se nele.

— Ajuda, Cissão, a mulher tá mal.

O segundo homem atendeu, apoiando a grávida pelo outro lado.

— Acho que eu quebrei o pé.

— É melhor a gente dar uma olhada, não é não, Xande? — perguntou o segundo.

Começaram a caminhar. Até mesmo os homens iam devagar, com os pés vacilantes na lama, sob a chuva feroz.

A visibilidade estava ruim. Ana percebeu que um deles estava descalço. Sentiu o bebê mover-se, como se o pequeno quisesse confortá-la. Mas o movimento acalentador logo transformou-se. Um mal-estar tomou conta de seu corpo. Sentiu um sopro em seu ouvido. Um sopro que parecia alertá-la. Era como uma voz de criança, pedindo que ela corresse dali. Ana ergueu a cabeça. A chuva atrapalhava a visão. Estavam se aproximando de uma rua perto de onde morava, mas por aquele caminho não chegaria até sua casa. A rua estava escura. Sem iluminação pública.

— Vem por aqui, dona. Vamos olhar o seu pé. Onde você mora?

O pé doia.

— Moro aqui pertinho, me leva para casa.

— É melhor levá pro hospital, Xande. Tá grávida...

— Vamo levá ela ali, lá não tem ninguém, Cissão.

Os homens caminharam em direção a uma grande casa em construção.

Ana puxou o braço, livrando-se da mão de Cissão.

— Eu quero ir para casa. Muito obrigada pela ajuda.

Xande segurou-a firme.

— Calma aí, dona. É melhor a senhora vir com a gente. Vai saber...

— Vai saber o quê? Me deixa ir embora.

Ana livrou-se da mão de Xande, o pé falseou e ela quase foi ao chão novamente.

Cissão agarrou-a pelo braço.

— Tá vendo? A senhora não tá nada bem.

Xande segurou-a pelo outro braço e começou a puxá-la rapidamente.

— Vem, Cissão. Traz logo essa mulher antes que alguém aparece.

Cissão puxou-a forte, obrigando-a a atravessar o portão de tapumes que fechava a obra.

— Me larga! Me larga, pelo amor de Deus! — gritava a moça.

— Pára de gritar! Pára de gritar senão vai entrar na porrada! — advertiu Cissão.

Xande tapou a boca da menina. Ana resistia, tentando permanecer na rua. Ali dentro ninguém a escutaria. A chuva forte enchia o céu de sons, tomando sua voz algo inútil contra o ataque.

Mediante a resistência da mulher, Cissão aplicou-lhe um empurrão, fazendo-a cair mais uma vez.

Ana gritou. Sua barriga enrijecera como pedra novamente. Estava sentido-se mal.

— Vamo rangá ela logo, Cissão. Pode pintar sujeira.

— Pinta nada, Xande. Pinta nada. Já tô sacando essa área faz dias. Com essa chuva, então. Ninguém vai sair de casa com um tempo desse. Não passô mais nenhuma gata por aqui. Vai essa mesmo, com bucho e tudo.

Cissão arrastou Ana pelos cabelos para dentro da casa em construção. Um relâmpago fez as nuvens acenderem brevemente.

Ana vomitou. Seu peito subia e descia nervosamente. Arqueou o corpo para a frente, ficando de joelhos, deitada sobre a barriga no chão de cimento da sala inacabada.

Cissão mostrou que realmente conhecia o local. Correu até um canto da sala, onde apanhou um caixote, e de dentro dele, misturado a ferramentas de pedreiro, retirou um pequeno rádio de pilha e uma lamparina. Apanhou fósforos e acendeu a lamparina, enchendo o mórbido cômodo de luz. Sombras bruxuleantes tomaram conta da sala até a luz se firmar.

Cissão riu ao notar o desespero da mulher. Adorava fazê-las sentir medo.

Ana gritava desesperada. Só parou com os gritos quando a mão forte de Xande apertou seu pescoço. Uma música horrível tomou conta do lugar. Se o homem tocasse seu seio não teria coragem de oferecê-los ao seu bebê. Vomitou mais uma vez, sentindo-se sufocar com o líquido espesso preso em suas narinas e garganta.

Cissão dançava na sala, levantando poeira. Ligara o pequeno rádio de pilha e deixara na primeira estação que encontrara. Juntou-se a Xande. Queria ir logo ao assunto. A mulher. Ajudou o parceiro, segurando os braços dela. Xande brigava com as pernas fortes da mulher.

— Olha só, Xandão, até que a menina é novinha. Ah! Ah! A gente deu sorte.

— Ela é nova, mas moça ela não é. Eh! Eh!

Vendo que Xande não vencia a garota, Cissão soltou um dos braços da vítima e desferiu dois violentos tapas no rosto.

O sangue brotou da boca da menina.

— Não faz isso, moço... respeita meu filho.

— Se deu azar, deu azar! — bradou Cissão, enfurecido. — A culpa é sua. A gente tava quieto na rua. Você que passou aqui.

— Me solta, moço. Eu tô perdendo meu filho... tô perdendo...

— Cala a boca! Pára de falar nessa merda!

Xande não conseguia vencer a moça, que continuava lutando com as pernas, tirando forças não se sabia de onde.

— Vai logo, porra!

— Não dá Cissão. Bate mais nela, que num tá dando.

— Vou fazer melhor. Essa vaca deu azar comigo.

Ela vai ver.

Cissão largou-a e voltou para o canto da sala, fazendo sua sombra agigantar-se na parede.

Trovões poderosos ribombaram lá fora, e a tempestade só ganhava força.

Cissão apanhou um facão na caixa de ferramentas e voltou para a menina. Chutou-lhe a barriga, fazendo-a encaracolar-se no chão, como quem protegia um tesouro.

— Vamo fazer um acordo. Cê fica quietinha. A gente faz o que veio fazer e some. Se você mexer a merda dessa perna mais uma vez eu vou arrancar essa merda da sua barriga antes da hora. — ameaçou o monstro, brandindo o facão.

— Nãoooo!!! — gritou a mulher desesperada, agarrando fortemente a barriga, que doía cada vez mais.

— É melhor cê fazer o que ele tá pedindo, dona. Ele é doido. Ele arranca esse seu nenê.

Cissão brandiu mais uma vez o facão, com um sorriso malicioso no rosto.

Vencida, com a vida de quem mais amava ameaçada, Ana entregou-se. Fechou os olhos e, com o corpo todo tremendo por culpa do terror absoluto, tentava relaxar os músculos.

Xande partiu para cima da mulher como um cão sarnento parte para cima da fêmea no cio. Abaixava seu short de náilon ao ver a mulher vencida quando a lamparina apagou-se.

— Que foi isso? — perguntou Cissão.

A música foi interrompida. Um crepitar sinistro invadiu a sala, como o de pés calçados contra o chão seco de cimento rústico.

— Quem tá aí? — perguntou Xande assustado e paralisado.

— Não tem ninguém aqui, bundão. Foi o vento que apagou a lamparina.

— Mas e o rádio?

Ana choramingava.

Cissão caminhou até o canto novamente, tateou o chão procurando os fósforos. Soltou o facão assim que encontrou a lamparina. Continuou procurando os palitos. Ouviu um baque surdo no outro canto da sala.

— Que foi isso, Xande? Que foi isso?

— Nada. — respondeu uma voz breve e murmurante.

Apressou a procura, raspando o chão rapidamente. Quando encontrou os fósforos, voltou a acender a lamparina. Regulou mais uma vez o gás, fazendo a chama firmar-se de novo. Seus olhos voltaram-se para a sala, e foi nessa hora que um arrepio forte cortou-lhe o corpo de fora a fora. A mulher continuava no canto da sala, com os olhos fechados e chorando nervosamente. Xande estava no chão, com a cabeça separada do corpo, que fazia o chão encher-se de sangue. Ao lado dele um menino, com roupas pretas, empunhava o facão, manchado com o sangue do parceiro. Cissão continuou mudo por alguns segundos. Estariam seus olhos lhe pregando uma peça? Caminhou lentamente, com o braço estendido, empunhando a lamparina.

— Que-quem é você? — perguntou o homem, gaguejando e com a voz quase inaudível.

— Cê deu azar. Deu azar. — murmurou o pequeno menino de pele pálida.

— Eu vou te pegar, seu merdinha, eu vou te pegar! — gritou o homem, recuperando-se do choque, procurando agora amedrontar o menino.

O garoto deu de ombros, sem se importar em nada com a ameaça do homem.

— Você pode me pegar, Cissão. Pode.

— Eu vou te pegar e te matar. Larga esse facão, moleque!

— E eles, Cissão? Você vai conseguir pegar todos eles?

Cissão, que se abaixara para pôr a lamparina no chão, virou-se assustado com a pergunta do moleque. Novamente assustou-se. O fundo da sala estava cheio de crianças. Crianças estranhas. Pequenas, com rostos brancos, pálidos, como o rosto dos mortos. Sentiu o sangue esfriar em suas veias. Virou-se novamente em direção a Ana. O menino não estava mais lá. O facão estava no chão. Xande estava sentado ao lado da moça, assustado.

— Você ouviu isso, Cissão? — perguntou.

Os pêlos do corpo de Cissão arrepiaram-se. Olhou para o fundo da sala novamente. Não havia mais criança alguma. Xande estava lá, inteiro, sentado no chão, com medo de nada, mas inteiro. Os dentes começaram a bater descontrolados. Um medo crescente tomava conta de sua cabeça. O rádio de pilha voltou a funcionar inesperadamente, fazendo-o gritar assustado. Girou sobre os pés duas vezes. Ninguém ali, nenhum menino. Todos os músculos tremendo, descontrolados. Riu alto, nervoso.

Bateram na porta da sala.

Os olhos de Cissão encontraram-se com os de Xande.

— Vamos embora daqui, Xande. Vamos embora. Essa mulher tem parte com o demo.

Correu para a porta e girou a maçaneta. Trancada.

Xande parecia ter absorvido o nervosismo do amigo, nunca o vira assim antes.

— Abre essa porra, Cissão!

— Tá trancada!

— Mas isso aí nem tranca tem! — protestou Xande, dando um empurrão no amigo para examinar a porta mais de perto.

Cissão encostou-se na parede de cimento. Seus olhos vidraram e, novamente, seu sangue gelou.

— Vocês não vão a lugar algum, Cissão.

Vultos do tamanho de crianças. Manchas indistintas flutuavam na sala. Dezenas, aproximando-se. Cissão engoliu seco. As crianças tornaram-se definidas, estavam todas lá, translúcidas, mas todas bem definidas. Umas vinte pelo menos. A sala tornara-se pequena demais. Estavam cercados pelos pequeninos.

Xande virou-se num pulo ao ouvir aquela voz infantil às suas costas. Ensaiou um sorriso para as crianças. Eram tantas!

— O que vocês querem? — perguntou Cissão.

— Vocês queriam a mulher, não queriam? A gente quer vocês.

Cissão engoliu seco outra vez. Um dos garotos aproximou-se. Cissão saltou para a frente e tentou desferir-lhe um soco. Seu punho atravessou o corpo do menino como se tivesse acertado o ar. O homem recolheu a mão, como se agora ela estivesse contaminada por algum tipo de doença.

— Você deu azar. Deu azar. — disse o menino, com a face desprovida de qualquer emoção.

Uma das crianças começou a rir sinistramente. Logo outra ajuntou-se a primeira e uma terceira a segunda, até formarem um funesto coral.

O grupo dividiu-se, cercando os homens. Nesse instante, começaram um espancamento brutal.

Cissão, golpeado por todos os lados, caiu ao chão, envolvendo a cabeça com os braços, buscando proteção. Chutes e socos acertavam seu corpo simultaneamente. Ouvia os gritos do parceiro, pedindo perdão. Um pedaço de madeira acertou-lhe o braço com tamanha violência que sentiu o osso se quebrar. Gritando de dor, desprotegeu a cabeça, que também recebeu um golpe forte. Cissão ficou tonto, tentou levantar-se, mas caiu novamente, sem forças, sem equilíbrio e sem esperança. Apanhou por minutos e perdeu a noção do tempo. Quando pararam de bater, não tinha mais noção de dor. Sentia o corpo arder e o sangue esvair por diversos ferimentos. Uma pequena menina entrou no seu campo visual. Abriu a braguilha da calça jeans e tocou em seu pênis. O menino que vira primeiro aproximou-se com o facão.

— Vamô fazê um acordo. Cê fica quietinho, nós fazemos o que viemos fazer e sumimos. — disse o menino, imitando-o. — Fica quietinho, Cissão. Nós vamos arrancar essa merda aí.

Cissão sentiu um golpe na virilha. A dor foi aguda demais para suportar. Cissão desmaiou.

Ana acordou. Estava no chão de cimento. Levantou a cabeça e sentiu uma dor lancinante queimando o ventre. Desistiu de levantar. Sentiu um afago no cabelo e virou a cabeça assustada. Temeu que os porcos ainda estivessem lá. Seus olhos ainda lacrimejantes encontraram-se com os olhos de uma pequena menina. A garota, também assustada, voltou a acariciar os cabelos da mulher. Ana percebeu mais uma criança ao seu lado. Levantou o tórax, apoiando-se sobre os cotovelos. Girou a cabeça e viu-se cercada por dezenas de pequenas crianças.

— Onde estou?

— Ainda está na casa, mamãe. — disse o menino mais próximo, de olhos castanhos e expressão triste.

— Na casa?

— É. Para onde aqueles malvados te trouxeram.

Ana lembrou-se da agressão por parte dos dois homens. O corpo doía. Mais uma vez sentiu uma pontada extremamente forte no ventre. Voltou a deitar a cabeça no chão e chorou, temendo pelo bebê. Desejou que aqueles dois morressem do modo mais horrível. Iria à delegacia, aqueles dois pagariam caro.

— Não se preocupe mais com isso, mamãe. Receberam a lição. Você precisa se preocupar com o neném, mamãe. A coisa não está boa aí não. — disse o menino, agachando-se ao lado de Ana e afagando sua barriga.

— Vamos ajudá-la, rápido. Existe um hospital aqui perto. — disse um garoto de cabelo encaracolado.

As crianças cercaram a mulher e auxiliaram-na a se levantar. Foram para fora, sob a chuva, agora mais amena.

— Cuidado, mamãe, é preciso que tenha cuidado. Vamos salvar o neném. Vamos, vamos...

Ana, sem muito entender, desnorteada, seguiu envolta pela "nuvem" de pequenas crianças.

— Por que vocês todos se vestem de preto?

A menina que a amparava do lado esquerdo levantou a cabeça sorrindo.

— Não sei, não, senhora. Não sei, não. Você sabe? — perguntou a garotinha, com voz suave e um sorriso angelical.

Caminharam até o hospital público.

Ana entrou amparada por um grupo, agora reduzido, de cinco crianças aproximadamente. Estava fascinada com a sensação que sentia vindo daqueles seres lindos. Eram como anjos. Estava mais calma e um pouco melhor. Os meninos a soltaram, deixando-a entrar pela mão da menina de cabelos lisos. Ficaram próximos da mulher até que uma funcionária do pronto-socorro aproximou-se.

— Minha nossa, minha filha! Que te aconteceu?

A menina soltou a mão da mulher.

Ana perdeu as forças e caiu nos braços da enfermeira antes de conseguir dizer qualquer coisa.

— Socorro! Tragam a maca, qualquer coisa! Me ajuda aqui, Madalena!

Outra enfermeira chegou para amparar a grávida que entrava.

Puseram Ana na maca. Antes de entrarem no corredor de atendimento, Ana agarrou o braço da enfermeira.

— Onde estão as crianças? — quis saber.

— Que crianças, filha?

— As que me trouxeram...

A enfermeira olhou para a porta de entrada. Não havia ninguém ali.

— Você entrou sozinha, filha. Sozinha...

Ana recostou a cabeça na maca e fechou os olhos. Fora salva por anjos. Por anjos... fantasmas.

# Capítulo 7

Tânio levantou-se sobressaltado. O sol atravessava as cortinas e incomodava o olho. Um gosto amargo em torno da língua trouxe ânsias. A garrafa de vodca estava vazia.

Dormira ali, no apartamento da amiga. Ele e Rogério completamente bêbados. O ex-marido fora mais sortudo, dormira junto com Lizete no quarto, enquanto a ele sobrara um colchão fino estendido sobre o tapete no centro da sala. Apesar da bebedeira, Lizete pedira para ele ficar. Com os dois juntos, só haveria um lugar para o "fantasma" aparecer.

Bêbado? Que merda de detetive era aquele?

Ouviu um barulho na cozinha. Vestiu apressadamente a camisa amarrotada e abotoou a calça.

Encontrou Lizete sentada à mesa. O olhar perdido mostrava que a mulher estava ausente. Seu corpo físico estava ali, naquela cadeira, com as mãos numa xícara de café fumegante, mas a mente estava em qualquer outro lugar, pois nem ao menos o percebera entrando. Só quando o detetive sentou-se à mesa Lizete o encarou. Olhava-o em silêncio. Tânio encontrou uma xícara de borco na mesa. Desvirou-a e encheu-a de café. Não disse uma palavra. Examinava a amiga. Ela estava com o rosto sulcado, como se tivesse envelhecido alguns anos naqueles poucos dias. Lizete continuou quieta por uns dois minutos.

— Eu chorei a noite inteira.

— Tá dando para notar.

Lizete riu.

— Você é sempre assim? Tão ruim com as palavras?

— Tão ruim e tão sincero.

— Você acha que somos dois doidos, não é?

— Não acho mais.

— Rogério saiu em péssimo estado hoje de manhã. Nem sei como ele conseguiu ir para o consultório. Vocês não são muito fortes para bebida, não é mesmo?

— Não tinha comido nada. — justificou-se Tânio.

— Lembra do nome?

— Hum?

— Do nome do "menino". — esclareceu a mulher.

— Pedro, não é?

— É.

Lizete mexeu a colherinha na xícara de café.

— Que que tem?

Lizete esfregou os olhos com uma das mãos.

— Se você não acha que nós dois somos loucos, você acha que esse "menino" é o quê?

— Não tenho a menor idéia. Vamos conversar mais. Vamos ver o que eu acho depois.

— Eu lembrei do Pedro.

Tânio continuou quieto, olhando para a bela mulher. Lizete falava e deixava o olhar perdido. Tânio sabia que ela estava sofrendo.

— O que você lembrou?

— Nós queríamos ter um filho, tentávamos de tudo.

— Quiseram adotar algum menino chamado Pedro e agora ele está te assombrando?

— Não atropela, Tânio. Não queríamos adotar. Essa era a última opção. Provavelmente não adotaríamos ninguém.

— Por que vocês se separaram?

— Tédio. — murmurou Lizete, sorvendo um pouco de café, ainda falando sem olhar para o amigo.

— Tédio?

— Hum-hum. Perdemos nosso bebê. Rogério ocupou-se cada vez mais. Nos distanciamos cada vez mais. Ele não queria. Eu não agüentava mais a angústia. Nos separamos. Ele se conformou, eu me acostumei, acabou.

— Ele não pode estar querendo voltar?

— Hum? — grunhiu Lizete, sem poder falar enquanto tomava mais um gole de café.

— O Rogério. Ele pode estar querendo voltar, então...

— Então inventou um fantasma? Você assiste a muitos seriados, Tânio?

— Pode não ter inventado o seu fantasma, Lizete, mas pode ter inventado o dele.

— Não acredito nisso, Tânio. É muito improvável.

— Fantasmas são improváveis, Lizete. Esse lance de espíritos perambulando por aí... pensa comigo, do lado de fora da história... é difícil acreditar que fantasmas estão vindo para te assombrar... é uma coisa meio maluca. Veja bem, não estou te chamando de maluca, não, isso você não é. Mas tem um monte de implicações...

— Que implicações?!

— Coisas novas no enredo. Um ex-marido... o negócio do seu bebê... o nome de Pedro... sei que sou grosseiro, estou te dizendo coisas que não deveria, digo, como um profissional, mas você é minha amiga, quero solucionar essa parada logo. Não gosto de te ver assim. Mas com esse negócio... esse nome coincidente. Fantasmas... tudo é provável a partir de agora, até a possibilidade de seu ex estar querendo voltar e, ainda por cima, do modo mais atrapalhado.

— É. — concordou a moça, sem muita convicção, reflexiva.

Lizete não acreditava que Rogério se aproveitaria de algo tão sério. Lembrou-se de um detalhe que dava autenticidade ao ex-marido.

— O nome do menino, Tânio. Ele não poderia ter inventado o mesmo nome. O fantasma se identificou com o mesmo nome para nós dois.

— Você ligou para ele contando essas visitas antes?

— Sim, liguei. Eu estava desesperada. Falei com ele, chorei para ele, enquanto ele não acreditava.

— Você pode ter dito o nome para ele, não pode?

— Não, nunca falei.

— Você estava desnorteada, Li. Você pode ter dito.

Lizete emudeceu. O amigo podia estar certo, mas não apostava que Rogério estava querendo reatar o relacionamento.

— Esse é um caso de fantasmas, Tânio. Não é um caso de amor. Rogério é homem de falar na lata. Fui casada com ele, poxa! Sei até a hora que ele caga. Ele não ia inventar nada para voltar comigo. Ele ia me dizer se quisesse voltar e pronto.

— Mas se ele quisesse, você voltaria? Aí é que mora o perigo. Ele sabe que você não voltaria.

— Mas e se eu quisesse voltar? Ele não sabe. Eu não quero, mas ele não sabe. A gente não tem mais nada a ver.

— Ele não quis arriscar. Quer você sem rejeição. Voltar por cima da cocada preta... com você chorando e tudo o mais.

— Tânio, pare de pensar em mim e no Rogério. Isso não muda o meu lado da história. Por que estou vendo fantasmas?

— Não sei.

— Investigue isso, não meu ex-marido.

Tânio virou o café de uma vez. Levantou-se.

— Investigo o caso, não parte dele. Já vi coisa que até Deus duvida... e tudo muito carnal, muito terreno. Vou sair. Dar uma pensada, ver uns conhecidos. Te ligo à tarde ou a qualquer novidade.

— Tânio, descubra logo o que está acontecendo. Estou com medo, muito medo. Aquela coisinha agrediu o Rogério.

O detetive meneou a cabeça. A cara da amiga era agora de cansaço. Sabia que ela estava passando por um mau pedaço. Ficou contente de estar ali para poder ajudá-la.

— Vou descobrir, Li. Sou pago para descobrir.

Tânio chegava ao carro quando Lizete o alcançou.

— Espera, Tânio.

Ele abriu a porta do carro.

— Esqueci uma informação. Pode ser importante.

— O que é?

— O nome. Pedro.

Tânio aguardou em silêncio. A amiga tentara falar algo sobre o nome, mas desviaram o assunto.

— Esse nome, eu queria te dizer, mas acabamos mudando o rumo da conversa. Eu estava te dizendo que não conseguíamos ter filhos. Conseguimos com inseminação artificial. Os óvulos foram fecundados em laboratório.

Os olhos da mulher avermelharam-se, sua mente estava sendo remetida para lembranças dolorosas.

— No dia "H", na hora "H", tivemos de escolher.

— Escolher?

— É, escolher. Tivemos de escolher o óvulo. Queríamos um menino. O doutor Antunes selecionou dois. Estavam lá, na tela do monitor. Dois óvulos fecundados. Qual vocês querem? — perguntou nosso médico. — O Bruno ou o Pedro?

Tânio viu as lágrimas desprenderem-se dos olhos da amiga. Já estava se habituando ao sofrimento da mulher.

— Escolhemos o Bruno. Nosso Bruninho.

— Obrigado por dizer, Lizete. Acho que pode ajudar. Assim que descobrir algo te conto, tá? — disse o homem, tentando tranqüilizar a amiga, mas sem encontrar muita utilidade na informação.

Assim que ela alcançou a portaria, o detetive deu partida no carro e deslizou para a rua, indo embora com os pensamentos mergulhados no caso, disparado, o mais confuso que já entrara em seu escritório.

# Capítulo 8

Tânio retirou um copo de chá do frigobar, recostou-se na sua poltrona de corino e pousou os pés em cima da mesa. Os olhos passeavam por anotações feitas com pincel atômico na cartolina cor-de-rosa pendurada na parede de frente a sua mesa. Era assim que passava horas pensando nos casos e, era assim que chegava a hipóteses que se comprovavam na maioria das vezes. Estava tão silencioso e concentrado, que chegou a assustar-se quando o telefone tocou. Era o delegado Wílson.

— Hoje sou eu que tô procurando um tempo. Pode dar uma passada aqui no D.P.?

— Que horas?

— Depois das cinco.

— Alguma coisa especial?

— Tá tendo uma pelada brava aqui, eu acho que tô perdendo. Preciso de um reforço. Você ainda é bom de bola?

— Corta essa, Wilsinho! Você parou de jogar faz tempo!

— Passa aqui pra gente conversar. Tá legal?

— Tá.

Tânio levantou-se. Havia distribuído algumas palavras na cartolina. Tinha escrito o nome de Lizete, escreveu "ex-marido" e uniu o título ao nome "Rogério". Apanhou o pincel atômico e adicionou abaixo do termo "FANTASMA" a palavra "Pedro". Quase tinha esquecido do nome revelado por Rogério.

O detetive apanhou a chave do carro e saiu.

* * *

— Sempre que você vem até aqui à delegacia, Tânio, tem alguma coisa acontecendo. Você fala com todo mundo, procura saber das coisas, nunca me incomodei. — disse o delegado, levantando-se da cadeira. — Mas agora, quando você vem até aqui e fica me esperando uma, duas horas, até três eu já vi você esperar, é porque a coisa é importante para você. É porque você tá mexendo com o assunto. Somos colegas, não somos?

— Poxa, doutor, é claro que a gente é amigo. Só que...

— Só que eu quero saber com o que você está mexendo agora, detetive Esperança.

— Não é nada importante. É um caso fácil. Agora tá complicado, mas até ontem era um caso fácil. Coisa de ex-marido...

— Por que você veio atrás do caso do Damião? O que o seu caso fácil tem a ver com o assassinato aqui dentro?

— Absolutamente nada, Wílson. Só aquele papo de crianças que me chamou a atenção. Minha cliente disse que está vendo...

— Fantasmas?

Tânio, surpreso, balançou lentamente a cabeça, concordando.

— Crianças... crianças-fantasmas? — insistiu o delegado.

— É, fantasmas.

— Senta aí, Tânio. Vou te contar uma coisa. Não chegou à imprensa ainda. Quem é seu cliente?

— É uma ex-colega de colégio. Você não conhece, ninguém importante pros outros, só para mim. Não sei, tenho um negócio com ela...

O delegado coçou a cabeça.

— Sabe, hoje de manhã, pelas seis da manhã, recebemos um chamado. O caso não é daqui da central, mas o delegado do Piratininga me chamou. Fui ver a coisa, cabeluda. Mataram dois homens numa obra em andamento. A casa tá quase completa, por isso ninguém viu nada. Os pedreiros que chegaram pela manhãzinha encontraram os dois defuntos. Pode ser coisa de droga, dívidas, sei lá, foi coisa feia, ninguém faz aquilo para assaltar, só pra cobrar bronca.

— Aquilo o quê?

— Decapitaram e enfiaram um cabo de enxada no rabo de um, não necessariamente nesta ordem, enquanto deceparam o pau do outro. Tavam bem judiados os dois.

— Coisa boa eles não eram. — comentou Tânio.

— É, não eram.

— E o que eu tenho com a história?

— Pelo estado dos dois eles foram mortos ontem à noite, na hora do temporal. Durante o temporal uma mulher, vítima de uma tentativa de estupro, bem surrada, deu entrada num P.S. ali perto. Tava perdendo o bebê.

— Essas coisas me deixam doido. Uma grávida! Esse...

Wílson fez um sinal para que o amigo parasse e o deixasse prosseguir.

— Essa grávida contou uma história doida para o pessoal do pronto-socorro. Meu amigo me chamou por causa disso aí. Ela disse para o pessoal do hospital que dois vagabundos tentaram estuprá-la, bateram, ameaçaram com facão e o diabo todo. Ela desmaiou e não viu mais nada.

— Os desgraçados receberam um castigo, então?

— E que castigo. Mas fica quieto para eu terminar. Ela disse que quando acordou do desmaio havia uma porção de crianças ao seu redor. Disse que tinha umas trinta. Trinta crianças pequenas, sem adultos por perto, bem vestidas, de preto, dentro da sala da casa em construção.

— Crianças?

— É. As crianças a ajudaram a chegar até o pronto-socorro. As enfermeiras não sabem como ela chegou lá naquele estado. Sozinha seria difícil devido à distância. Mas acontece que nenhum dos funcionários que acudiram a mulher viu criança alguma. Nenhuma. Trinta crianças não desaparecem sem fazer barulho, não é?

— E se a grávida estivesse delirando?

— É o mais provável, não é mesmo? Aposto um monte de fichas que ela estava delirando devido ao espancamento, a dor, sei lá. Mas acontece que eu posso perder a aposta.

— Por quê?

— Você não acha estranho um monte de gente estar delirando? Delirando justamente com pequenas crianças perambulando pela cidade? A grávida não conhecia a história do Damião. Vina não podia adivinhar que ia acontecer aquilo com a grávida. Nenhum dos dois inventou. Se inventassem a história evitariam "estas" coincidências. E você? Por isso que perguntei do seu caso primeiro. Tá vendo? Mais uma história esquisita com criança na parada... "Coincidência"!?

Tânio sentiu-se desconfortável. Não queria acreditar nesse papo de "fantasma", mas se até o velho delegado Wílson estava considerando a hipótese, por que não dar o braço a torcer? Olha que o delegado era osso duro de roer! Já tinha escutado um milhão de histórias cabeludas, já tinha os olhos acostumados com as coisas do mundo cão. Coincidências demais. Não podia ser.

Diante do silêncio do amigo, o delegado continuou discorrendo o que pensava.

— Tânio, a gente já viu muita coisa nessa vida, não é mesmo? E nesta cidade aqui não falta acontecer mais nada. Neve caindo do nada, gente que vê vampiros. Osasco sempre foi recheada de histórias sem pé nem cabeça, mas vou te dizer, isso aqui tá me cheirando que entraremos na pior delas, camarada. Tô até com vergonha de chamar os meus moleques pra investigar. Vão me chamar de gagá, já me chamam de velho toda hora! Se conto para eles que estou desconfiado de um bando de crianças alienígenas... vão me mandar pro Juqueri! Ah! Ah! — gargalhou o delegado, levantando-se da ponta da mesa, onde havia se apoiado, e colocando a arma na cintura.

O delegado foi até uma mesa no canto da sala e encheu um copo com água. Tomou-o numa virada só.

O detetive não comentou nada, imerso num monte de pensamentos. Lizete poderia realmente estar sendo "visitada" por fantasmas. Mas por que ela? Por quê? O foco da investigação parecia apontar para outro palco de acontecimentos.

— Nem te contei sobre o Pestana, né? — perguntou o delegado.

— Não.

— Pois é. O delegado de lá, meu colega, joga truco lá em casa. Riu pra caralho quando eu disse esse negócio que aconteceu com o Damião, daí o filho da mãe me liga hoje de manhã, rindo, disse que tinha mais um caso para eu colecionar. Colheu o depoimento de uma alcoólatra que jura que foi surrada por um moleque com menos de oito anos. O menino não era parente dela, simplesmente apareceu em sua casa e depois desapareceu.

— Onde está a grávida?

— Lá no Helena Maria, na maternidade da prefeitura. Coitada, me disseram que dá dó de ver. Está pensando em visitar a menina?

— Tô. Sei lá, pode ajudar no meu caso. Pode ser que o senhor tenha razão. Pode ser que estejamos lidando com espíritos.

— Por falar nisso... — Wílson voltou até sua mesa e debaixo de uma pilha de papéis apanhou um livro. — Dá uma lida nesse livro aqui. Você acredita em reencarnação?

— Acredito e não acredito. Não sei explicar... não sou religioso.

— Então dá uma lida nisso aqui. *Laços Eternos*.

— Você gostou?

— Gostei. Leia e depois me diz o que acha. Peça para a sua cliente dar uma passada aqui.

— Para quê? — perguntou Tânio, surpreso.

— Não é nada oficial, só quero saber o que está acontecendo com ela, quero ver se tem alguma ligação com as crianças dos outros casos. Logo logo a imprensa toda vai cair matando em cima da nossa cidade. Quero ver se descubro se tem morto aparecendo por culpa de Deus ou por culpa de algum psicopata que está aproveitando essa farra toda.

— Falo com ela. Se ela topar, eu mesmo a trago. Pode ser amanhã?

— Pode.

Tânio levantou-se da cadeira de couro rasgado e despediu-se do amigo. Antes de deixar a sala o detetive lhe disse:

— Conto com você, Tânio. Você sempre foi gente boa. Me fala tudo de novo que você descobrir. Disse que estava entrando num jogo e que podia perder de goleada.

— Sempre jogamos juntos, Wilsão, fomos uma dupla e tanto.

O delegado botou um cigarro na boca e, antes de acendê-lo, continuou.

— É, mas esse jogo é diferente, Tânio, diferente. Vou providenciar reforço, zagueiro dos bons. Rincón pra cima. França na frente, Romário... — fez uma pausa, dando uma baforada. — Por enquanto, se admitirmos que essas "coisas" são fantasmas, estão matando quem merece. Temos que detê-los antes que comecem a matar quem não merece.

— Que você quer dizer?

— Quero dizer que podem começar a fazer o mal para qualquer um, aí o bicho vai pegar. Lembrei de uma pessoa que vai ajudar, vai, pelo menos, me aconselhar.

— Quando essa pessoa estiver por aqui, me avise.

Tânio saiu da sala mais confuso do que quando entrou. Foi direto para o carro. Quando entrava na avenida dos Autonomistas, rumando para seu escritório, o celular tocou. Era Lizete.

— Alguma novidade? — perguntou o detetive.

— Acho que essa pergunta é minha.

— Bem, da minha parte, algumas.

— Boas?

— Isso depende do ponto de vista, Lizete. Vou passar aí na sua casa daqui a uma hora. Precisamos conversar.

— Você pode dormir aqui hoje?

— Na sala?

Como a mulher ficou muda, Tânio preferiu consertar a derrapada.

— Estou brincando, Li. Concordo com você. Acho melhor passar esta noite aí.

— É. Aqui na sala. No sofá, ou no colchãozinho, se você gostou.

— Combinado.

— Pode fazer um favor?

— Qual?

— Dê um pulo na casa do Rogério para mim. Vê se ele está por lá.

— Algum motivo sério para a preocupação?

— Ele não foi para o consultório. Saiu daqui dizendo que ia trabalhar. No apartamento ninguém atende. Não quero ir para lá sozinha, ainda estou assustada.

— Tá legal. Onde o doutor mora?

— Perto do Hospital das Damas...

Tânio bateu o olho no retrovisor e cruzou a avenida apressadamente. Próximo ao antigo prédio da Telesp, fez uma conversão em alta velocidade, enquanto continuava ouvindo a indicação.

— ... se você for pela Autonomistas, como quem vem para minha casa, após o hospital entre à direita, segunda à direita.

— Sei onde é.

— Entrou nessa rua, é a primeira à esquerda, bem na praça tem um prédio enorme, de esquina.

— Sei onde é o prédio.

Lizete terminou a explicação exatamente quando Tânio passava em frente ao prédio. Prometeu entrar em contato assim que soubesse do doutor.

O detetive estacionou na pequena praça arborizada. Perguntou pelo médico, e o porteiro informou que Rogério havia chegado por volta das dez da manhã e até aquela hora não saíra do apartamento. A explicação do porteiro veio porque, apesar da insistência no interfone, o homem não respondia. Tânio disse que era um detetive e que trabalhava para o médico num caso bastante importante. Deixou transparecer preocupação com a segurança do doutor. O porteiro caiu no papo do detetive e conduziu-o até o apartamento. Tânio bateu na porta diversas vezes. Rogério não respondeu nem mesmo à insistente campainha. Como o porteiro não possuía cópias do apartamento, Tânio sacou de uma pequena carteira de couro um jogo de hastes metálicas de diversas formas e espessuras. Num piscar de olhos a porta estava aberta. Tânio pediu ao porteiro que aguardasse ali no corredor por um instante. Esgueirou-se para dentro do apartamento. No chão da sala diversos papéis estavam esparramados. Alguns móveis foram revirados e gavetas encontravam-se fora do lugar. Aparentemente o apartamento fora invadido. Tânio xingou-se inúmeras vezes por não estar com sua pistola. Pegara aquela mania besta de não carregar a arma. Encostou-se à parede do corredor e caminhou lentamente. Os ouvidos afiados não detectaram som algum. Abriu a primeira porta do corredor. Era um banheiro vazio. Na segunda porta encontrou o escritório de Rogério. Lá também havia móveis fora do lugar e papéis revirados pelo chão. Na porta seguinte havia um quarto. Tânio relaxou. Ao lado da cama, deitado no chão, recostado no colchão, Rogério dormia profundamente. Tânio reparou na garrafa vazia aos pés do ex-marido de Lizete. Voltou a cabeça para o corredor e notou que o porteiro vinha da sala com a expressão alarmada.

— Foi assalto, seu detetive? — perguntou.

— Ainda não sei.

— Virge! Que aconteceu com o doutô?

— Encheu a cara de cana. Espera aqui na porta e não põe a mão em nada. — ordenou o detetive.

Tânio percebeu que o médico segurava um grande envelope branco. Seu peito subia e descia regularmente, mostrando que Rogério, ao menos, aparentava um sono normal. Apanhou a garrafa. Era vodca, certamente a bebida preferida do médico. Uma ânsia subiu, revirando seu estômago. Jogou a garrafa em cima da cama.

— Me ajuda aqui. — pediu ao porteiro.

Os dois colocaram o médico em cima da cama.

Tânio foi até a cozinha e apanhou um copo d'água. Voltou ao quarto e derramou metade da água no rosto de Rogério. O homem grunhiu e balançou a cabeça. Após a segunda metade do copo ergueu a cabeça, cambaleante, abrindo os olhos.

— Que é isso, porra?

Tânio sorriu.

Rogério tentou sentar-se, mas acabou caindo novamente com a cabeça na cama.

— Que você está fazendo aqui, detetive? Veio investigar meus fantasmas, é? E você, Olacir?

— Eu só vim ajudar o rapaz, doutô. A gente...

— Pode deixar, Olacir, eu cuido do "doutô" agora. — disse Tânio, fazendo o porteiro virar-se e conduzindo-o para fora do quarto.

— Você veio aqui para quê?

— Vim ver se você estava vivo, só isso. Bem... já vi e já vou indo.

O médico tentou falar, mas nenhum som saiu de sua boca. Afundou a cabeça no travesseiro, fechando os olhos novamente.

Tânio apagou a luz do quarto e apanhou o envelope caído no carpete. Encostou a porta do apartamento e voltou ao térreo. Somente quando retornou para dentro do carro analisou melhor o envelope, grande como uma folha de sulfite. No impresso em sua frente lia-se "Procriar, Clínica Biogenética". O nome do médico, Davi Antunes, soou-lhe familiar. Estava certo de que se tratava do mesmo Antunes a que Lizete se referira pela manhã. De dentro sacou três fotografias no tamanho do envelope. Na primeira, havia três pessoas dentro de um centro cirúrgico: Lizete, Rogério e um médico.Todos vestiam roupas hospitalares, próprias para o ambiente. Na segunda fotografia, Tânio deduziu que se tratava de dois embriões. Chegou à conclusão porque em torno de uma das pequenas esferas onduladas havia um círculo feito com caneta hidrográfica que se ligava a uma etiqueta com o nome "Bruno", grafado em tinta de impressora. Na terceira fotografia, demorou-se um pouco mais. Era uma réplica da anterior, mas agora o círculo envolvia o outro embrião, onde se lia o nome "Pedro", grafado com caneta esferográfica. Afinal, o doutor, como Lizete, recordara-se do filho esquecido.

Conferiu novamente o endereço no envelope. Deu partida e dirigiu-se para lá. A clínica ficava ali perto. Levou pouco menos de cinco minutos para chegar. Estacionou em frente da clínica e logo percebeu que não havia ninguém no local. Ligou para Lizete informando sobre o estado de Rogério, somente depois desceu. Não havia portão em frente do estabelecimento. Foi direto à porta de entrada. Afixada na porta havia uma folha onde um pedido de desculpas lamentava o fechamento da clínica. O bilhete dizia que por quinze dias ninguém seria atendido devido a obras para melhorar o atendimento. Tânio anotou o número do telefone, digitando no celular. Voltou para o carro e tentou o número deixado na porta. Uma mensagem gravada pedia desculpas, mas no momento não havia ninguém atendendo e que deixasse uma mensagem. O detetive desligou sem dizer nada. Mais uma vez ligou o carro e seguiu para casa.

# Capítulo 9

Tânio levantou de um pulo. Seu dia começara errado e parecia prestes a terminar errado. Dissera a Lizete que iria para sua casa num instante, mas resolvera passar em casa para tomar uma ducha e comer alguma coisa. Acabou caindo no sono. A luz faltara em seu bairro, e o despertador se desprogramara. Consultando o relógio de pulso, viu que eram onze e quarenta da noite. Nunca dormira tanto num simples cochilo. Rapidamente telefonou para Lizete, informando que já se encaminhava para o encontro. A amiga estava calma ao telefone. Disse que seu ex-marido também estava lá. Tânio não achou a idéia má, o "fantasma" continuava com um único endereço para assombrar.

Não chovia, apenas um vento frio incomodava, forçando o homem a usar uma velha jaqueta de couro. O detetive entrou em seu Voyage, fazendo-o descer para a rua, fechando a garagem com o controle remoto. Dez minutos depois rodava veloz por uma avenida larga, margeando um clube de golfistas. Nesse momento, o carro falhou; quando iniciava uma subida suave, o motor apagou completamente. Tentou dar partida mais uma vez, sem resultado. Com a cabeça quente, não se deu ao luxo de conferir o combustível que restava no tanque antes de partir. Irritado, levou quase dois minutos até se lembrar do indicador de gasolina. O tanque estava completamente vazio.

— Merda!

Ficou sentado dentro do carro em silêncio por dois minutos, apertando nervosamente o volante. Lembrou-se de que alguns metros adiante havia um posto Texaco. Desceu, foi até o porta-malas, onde encontrou um pequeno plástico destinado a transportar gasolina nesse tipo de emergência. Trancou o veículo e seguiu a pé. Um carro passou veloz. O motorista sequer olhou para Tânio. O detetive sabia que ninguém seria louco de parar naquele local deserto para prestar assistência a um motorista desprevenido. Nem ele mesmo se prestaria a muitos favores naquele local. Não precisou caminhar muito para sua raiva aumentar. O posto de abastecimento estava fechado, sem vivalma nos arredores. Deu meia-volta, retomando ao Voyage. O posto mais próximo, então, estaria a quase um quilômetro de distância. Chegando ao veículo, fechou a porta para evitar o vento desconfortável. Apanhou o telefone celular no banco de passageiro e pressionou a tecla "recall". Lizete atendeu. Explicou onde estava. A mulher prontificou-se a apanhá-lo. O detetive calculou que ela levaria menos de cinco minutos até estar ali. Reclinou um pouco seu banco e recostou a cabeça. Ouvia o tique-tique monótono do relê do pisca-alerta e deixava os olhos vagarem pela paisagem sombria decorada pelo velho muro do campo de golfe a sua esquerda e um horroroso terreno baldio à direita. Alguns minutos se passaram até ele perceber um movimento no lado direito. Seus olhos não encontraram nada. Olhou pelo retrovisor. Nada. Voltou a olhar para a frente. Estava com os batimentos cardíacos acelerados. Aquela simples impressão tirara sua calma. Riu sozinho, deixando o ar escapar rápido por suas narinas. Estava impressionado com a conversa que tivera com seu amigo delegado. Virou de novo a cabeça rapidamente para a direita. O sangue gelou nas veias. Teve a nítida impressão de ter enxergado o que parecia com o topo da cabeça de uma criança com cabelos curtos e arrepiados passando rente à porta do carro. Desceu rápido. Circulou o carro, sem nada encontrar. Circulou o carro mais uma vez, agora bem devagar. Não havia criança alguma naquele lugar. Ouviu um arrastar. Olhou para os próprios pés, imóveis. O som tinha vindo dali, do chão. Titubeou antes de abaixar-se. Olhou para trás. Nenhum carro vinha. Abaixou-se lentamente. Se houvesse uma criança ali fora não teria tido tempo de fugir, mas poderia ter se esgueirado para debaixo do veículo. Tânio apoiou um dos joelhos no chão, abaixou o corpo até poder enxergar por baixo do carro. Estava escuro, mas era certo que não havia nada escondido ali. Levantou-se agilmente. De relance, teve a impressão de ver um pequeno corpo correndo entre o matagal ao seu lado. Contornou o carro, chegando junto à guia. Com os olhos fixos no mato, não podia divisar mais nada que lhe confirmasse o que vira ou pensara que vira. O vento frio movimentou o mato. Talvez fosse só aquilo. Talvez fosse só o vento.

Um carro passou vagarosamente, manobrando logo em seguida. Era Lizete, acompanhada de Rogério. Encostaram logo atrás de seu carro.

— Deu azar, detetive? — gracejou a mulher.

— É. A gasolina acabou e, para ajudar, a merda do posto já fechou.

— Vamos, te levo em um perto de casa que fica aberto até tarde.

— Lá embaixo tem um que não fecha, também. Só que é mais caro. — disse o detetive, indicando o caminho pelo qual tinha vindo.

Tânio trancou o veículo e embarcou no Pálio da amiga rumo a sua casa. Passando em frente do condomínio, desceram a rua poucos metros até chegarem ao posto.

Tânio esquecera-se de seu "saquinho de emergência" e foi obrigado a pagar dois reais por um galão para três litros de gasolina, mais três reais para o combustível. Conversavam amenidades, quando Rogério puxou assunto a respeito do caso.

— Acho que não é só a gente que tá passando por esse pesadelo, detetive. Ouvi uma estória no jornal hoje de noite.

Tânio apanhou o galão abastecido, voltando em silêncio para o carro, ouvindo Rogério.

— Foi aqui em Osasco mesmo. Um cara suicidou-se, dizendo que uma "criança" mandou. Daí já quiseram ligar com aquela estória do "matador de criancinhas", que dizem ter sido justiçado por um bando de crianças que invadiu a delegacia e tudo o mais. Tão dizendo que são casos de... adivinhem o quê? Fantasmas.

Entraram no carro. Para surpresa de Tânio, Lizete mal saiu do posto de gasolina e estacionou, praticamente do outro lado da rua. Diante do olhar interrogativo dos homens, a mulher explicou:

— Ontem os dois marmanjos encheram a cara até cair. Hoje é o meu dia. É claro que não vou me prestar ao papel ridículo dos dois. Uns dois copos de vinho me satisfazem. E, acreditem ou não, senhores, esta lanchonete tem um dos *coolers* mais saborosos do pedaço.

Tânio leu a placa. "Tchê's".

— Isso lá é nome de lanchonete? — perguntou.

— Vamos lá, detetive. Já que a gente tem que conversar, por que não conversamos aqui?

— Meu carro está lá...

— Ninguém vai roubar, detetive. Está sem gasolina, esqueceu?

Tânio desceu do carro e seguiu o ex-casal.

— Se voltarmos lá e eu encontrar o meu carro depenado, vou incluir nos honorários, Lizete.

Os dois riram.

Um misto de relações públicas e segurança "king-size" recebeu-os na entrada do "Tchê's". Pegaram uma das mesas que ficavam na parte interna do lugar. A casa estava cheia, e o *cooler* pedido por Lizete demorou um bocado para chegar. Tânio relaxou. Tinham muito o que conversar e não estava achando ruim que fosse longe do apartamento da amiga. Para ele, aquele lugar começava a juntar energia negativa em demasia.

Tânio estava relutante em alarmar Lizete. A amiga, diferentemente dos outros encontros, exibia sorrisos deliciosos e fazia renascer um pouco daquela garota feliz que conhecera. Após algumas reflexões, decidiu que devia contar logo, afinal estava ali a trabalho e não para deliciar-se com os sorrisos da bela morena.

— Lembrei do "Pedro" hoje pela manhã, Lizete. — disse Rogério, com a voz apagada, como se tivesse sendo retomado pela tristeza. — Lembrei da "escolha". Encontrei aquelas fotografias dos embriões. Você lembra?

— Com os nominhos?

— É. Essas mesmas. Não lembro onde deixei. Também, no estado em que fiquei hoje à tarde! Pior do que ontem à noite.

A bebida chegou. Rogério pediu um suco de laranja. Tânio e Lizete serviram-se. A amiga estava certa. O *cooler* era muito saboroso.

— Na noite em que o fantasma, o Pedro, seja lá o que aquilo for, me atacou, ele me perguntou sobre a escolha. Acho que estava falando sobre "aquela escolha", quando escolhemos implantar o Bruninho, em vez do outro embrião, igualmente viável, o Pedro.

Lizete segurou a mão do ex-marido em cima da mesa, como se quisesse se apoiar para não cair num abismo de sentimentos ruins.

— Se isso tiver realmente alguma relação, pode ser muito bom.

Lizete e Rogério voltaram-se para Tânio.

— Se tiver alguma relação, ao menos teremos um fio da meada. Uma pista.

— Ah, agora você está falando como detetive e não como conselheiro sentimental. — interrompeu Lizete.

Rogério não compreendeu a observação e continuou aguardando algo mais conclusivo por parte do homem.

Tânio esfregou as mãos após mais uma golada no vinho.

— Se essa assombração for quem diz ser, filho de vocês, teremos um ponto de partida. Teremos de buscar um "emotivo" para essas assombrações. Fantasmas não têm endereço, é evidente, não podemos persegui-los, atocaiar...

— Talvez possamos. — interrompeu o médico.

— Como? — quis saber a mulher.

— O embrião. O embrião ainda existe. Não podem destruí-lo. Pela lei, o laboratório tem de conservar todos os conceptos. Se não me engano, só são destruídos com o consentimento dos pais. Nós não consentimos nada.

— Como é? Me explica melhor esse negócio de óvulo, doutor?

— Seu pai nunca explicou isso para você, detetive? Quando um homem gosta de uma mulher, a história das sementinhas... — brincou Rogério.

Lizete riu.

— Qual é, doutor! Me explica a parte científica do processo. O que foi que vocês fizeram?

— Meus espermas não conseguiam atravessar a parede do óvulo de Lizete. Precisávamos de um empurrãozão. Não conseguimos nada com técnicas menos interventoras, precisamos partir para as cabeças. Conhecia a clínica do doutor Antunes, então fomos até lá.

— Queríamos muito um filho. Um menininho. — adicionou a mulher.

— Colheram vários óvulos de Lizete e uma amostra de meu esperma. Juntaram as coisas e fecundaram alguns. Fizeram a triagem dos embriões, dos conceptos com mais chances de progredirem para uma gravidez normal e nos apresentaram os dois para escolhermos. Escolhemos e pronto. Daí, nove meses depois, nasceu o pequeno Bruno, forte e saudável.

Tânio percebeu os olhos do homem encherem-se de lágrimas. Não chegou a chorar, mas estava bastante emocionado.

— E o que aconteceu com o restante dos embriões?

— Ficaram na clínica, congelados, sob o cuidado do laboratório.

— Tá. E o que acontece, ficam no gelo até morrer? — insistiu o detetive.

— Não. Eles não morrem. Ficam em suspensão. — disse Lizete.

— Não morrem?

— Não. A grosso modo, a multiplicação das células é interrompida, e a vida é congelada. É como apertar a tecla "pause" de um filme que está passando. A imagem congela, mas pode voltar a progredir assim que apertarmos a tecla novamente.

Tânio levou a mão à boca. Seu rosto iluminou-se.

— Então esse fantasma não pode ser aquele "Pedro", pelo menos não o do embrião. — revelou o detetive, sorrindo.

— Ué? Por quê?

— Eu cresci ouvindo estórias de fantasma. Coisas de arrepiar. Uma estória bem diferente da outra, mas todas iguais em um único ponto.

— O quê? — quis saber a mulher.

— Todos os fantasmas são almas de gente que já morreu. Se o Rogério tá dizendo que os óvulos não morrem no gelo, então não tem fantasmas por aí assombrando e matando os outros.

— Matando? — alarmou-se a cliente.

Tânio meneou a cabeça positivamente. Diante do silêncio na mesa, o detetive prosseguiu.

— Hoje eu visitei um colega na delegacia. Ele me contou dois casos que, provavelmente, têm relação com as "aparições" de crianças. Te disse que tinha uma notícia boa porque isso, ao que tudo indica, prova que você não está louca.

— Esses "fantasmas" têm matado gente? — perguntou o médico.

— Têm. Se as estórias forem verdadeiras, sim. Estão matando gente. Mataram o Damião, aquele do jornal, que vocês já ouviram falar. Mataram também dois caras que queriam estuprar uma mulher. Tem também uma mulher alcoólatra que apanhou de um menino que ninguém viu. Como ela é uma pinguça, esse caso não conta muito, mas tem criança no meio.

— Se for loucura nossa, parece que há um surto na cidade.

— É, Rogério, parece um surto. Por enquanto as mortes aconteceram com gente ruim, mas esse Pedro que você encontrou te atacou, poderia ter te matado.

— Já teria feito se quisesse mesmo. — comentou o médico, olhando o movimento da rua pela janela. Ao voltar-se para os dois, continuou falando. — Agora, quanto a esta sua teoria de que esse Pedro não é o nosso "Pedro", pode estar furada.

— Por quê? Tem alguma idéia melhor?

— Não, não é isso. Só que faz anos que nem eu nem a Lizete visitamos a clínica do doutor Antunes. Quem garante que o embrião está vivo? Pode ter acontecido alguma coisa. Pode ter sido descartado, morto... e agora está nos assombrando.

— Não, não foi. — cortou a mulher. — Eu estive lá no mês passado.

Rogério ficou mais espantado do que Tânio.

— Fazendo o quê?

— Fui justamente verificar como estava o meu Filho... o meu óvulo fecundado.

— Para quê? — quis saber Rogério.

Lizete balançou a cabeça como se não tivesse uma resposta.

— Sei lá... acho que estava me sentindo sozinha, queria ver alguém conhecido, um parente.

— Vocês têm parentes na clínica? — perguntou o detetive, interessado no novo rumo da conversa.

— Não, detetive. Ela está falando do embrião.

Lizete concordou.

— Fui lá ver como estavam as coisas. Tinham me ligado da clínica, tive de pagar uma taxa para a manutenção dos embriões por mais cinco anos. — a mulher tomou mais um gole de vinho antes de prosseguir. — Antunes estava lá, lembrou-se de mim sem muito trabalho. Até me mostrou onde meus óvulos estavam. Umas coisas parecidas com garrafões, um equipamento bem moderno, cheio de coisas. Me deixou sozinha com eles por uns instantes. — fez uma pausa. — Achei educado da parte dele.

— Então estava tudo em ordem com os embriões? — quis saber o detetive.

— Estava.

— Mas e agora? Será que tudo está bem ainda? — perguntou o médico.

— Acho que agora vai ser meio difícil de saber. — avisou o detetive.

— Por quê? Posso contar com a ajuda de alguns amigos especialistas, fazer exames de DNA para saber se os embriões que estão lá são os nossos mesmo.

— Não é isso. Eu passei na clínica depois de te visitar hoje à tarde, doutor.

— Me visitar? Você esteve lá em casa?

Tânio riu.

— É verdade. Estive lá, mas não te culpo por não se lembrar. Mas como ia dizendo, eu passei pela clínica, na Campesina, a clínica está fechada.

— Fechada?! — espantaram-se os dois, como que ensaiado.

— Sim. Há um aviso de reformas, que é para melhor atender e blá-blá-blá. Deixaram um número de celular, mas nunca atende. Um pouco estranho, não?

Os dois assentiram.

— Vou tentar uns nomes para ver se entro em contato com o doutor Antunes. — sugeriu Rogério.

— Faça isso, mas tente ser o mais natural e amigável possível. Não queremos assustar o coelho.

— Mas, mesmo que a gente encontre os embriões, vivos ou mortos, de que vai adiantar? Vamos dar uma bronca no fantasma? Vamos denunciar o doutor?

— Não sei do que é que vai adiantar, Lizete, mas isso é tudo o que temos. Quer sair do escuro da caverna, siga a luz. Essa pista pode comprovar minha hipótese, pode comprovar a hipótese de vocês. Vai nos levar a algum ponto, e quando chegarmos nesse ponto, voltamos para essa mesa do "Tchê's" e começamos tudo de novo.

— Acho que errei de profissão. — lamentou ironicamente o médico. — Devia ter sido detetive, comer, beber, conversar...

Tânio levou na esportiva o comentário do ex-marido de sua amiga, mas não gostava nem um pouco desse tipo de atitude.

— Que vamos fazer agora?

— Vamos buscar meu carro, pôr aquele galão de gasolina e vamos para nossa tocaia.

— Tocaia? — espantou-se Rogério.

— É. Vamos para minha casa. — explicou Lizete.

— Seria muito conveniente o senhor passar mais uma noite lá, doutor. Assim, esse tal fantasma continua com um único endereço para assombrar.

Rogério não fez objeções.

Embarcaram mais uma vez no Pálio, agora impregnado pelo cheiro forte de gasolina, e, vinte minutos depois, o trio chegou ao apartamento.

Lizete trouxe para o detetive um colchonete e um cobertor. Conversaram um pouco e depois a mulher seguiu para o quarto a fim de descansar, concedendo ao ex-marido um pedaço de seu colchão.

Tânio afundou a cabeça em uma almofada. Precisava do pagamento, seu segundo aluguel estava prestes a vencer. Queria resolver aquele caso o mais rápido possível. Queria desvendá-lo e concluí-lo, encerrá-lo. Não revelou aos dois que já começava a se impressionar com as coisas, que estava até vendo coisas. Queria dissolver aquela estória toda e voltar para o escritório, para o próximo caso. Um caso sem fantasmas.

A mão fria tocou suas costas. Assustou-se, levantando num pulo rápido. Era Rogério, com o dedo esticado em frente ao nariz, pedindo silêncio. Em seguida fez um sinal para Tânio segui-lo. O médico caminhava pé ante pé, e Tânio imitou-o. Chegaram até o quarto de Lizete. Antes de entrar, Tânio podia ouvi-la cantar, como quem canta para um bebê.

Tânio parou no corredor, deixando o médico entrar primeiro. Abotoou a calça, mas não teve tempo de vestir a camiseta. O quarto estava iluminado por um abajur, deixando boa parte na penumbra. O corpo de Rogério cobria a visão do que se passava, mas quando o médico saiu da frente, seu coração gelou. Os olhos fixaram-se no que via. Afinal "ele" existia. O fantasma.

Lizete cantava para um pequeno menino que parecia cochilar, encaracolado entre as pernas da mulher. O corpinho, coberto por roupas escuras, parecia frágil demais para ser capaz de ferir Rogério da forma que ferira.

Tânio aproximou-se da cama, debruçando-se sobre a amiga. Seu coração disparara. A boca estava agora seca. Medo... o detetive sentia medo. Há tempos não experimentava aquela sensação de forma tão legítima, tão primitiva. Aquele pequeno corpo ressonando, um simples menino, fizera os pêlos da nuca arrepiarem. Estendeu o braço timidamente. Receoso, tentou tocar a criatura. Lizete parara de acariciar os cabelos lisos do pequeno e levara o tórax para trás, dando espaço ao detetive. Tânio "tocou" o garoto. Estava confuso. Seus dedos mergulharam nas costas do menino, afundando como num líquido escuro e viscoso, que lhe permitia enxergar uns poucos centímetros adentro. Puxou a mão rapidamente. Um frio sobrenatural instalara-se nas pontas dos dedos, na parte que mais fundo penetrara no fantasma. Olhou fixamente para Lizete. Os olhos do detetive ficaram vermelhos, tomados de uma emoção incontrolável. Tânio afastou-se dois passos, levando as mãos ao rosto, deixando-as deslizar da testa ao queixo, sentindo aquele frio fantasmagórico tomar conta de sua pele onde a ponta dos dedos tocavam.

— Acredita em nós agora? — perguntou o médico, sussurrando em seu ouvido.

Tânio meneou a cabeça positivamente. Precisaria de alguns instantes para botar as idéias em ordem. Retomar o controle da respiração e dos batimentos cardíacos.

Lizete levantou-se sorrateira, não queria despertar Pedro. Empurrou os dois homens para o corredor, conduzindo-os à sala.

— E agora? — quis saber a moça, perguntando em voz baixa.

— O detetive aqui é ele. — esquivou-se Rogério.

— Sou detetive, não sou o Chico Xavier. Agora, não sei. Vocês querem chamar um padre para exorcizar essa alma penada?

— Não! Quero saber por que diabos ele está aqui! — grunhiu, entredentes, a mulher.

Rogério soltou-se no sofá.

— Não dá para acreditar. Um fantasma... — remoeu o detetive.

— Ele é meu filho. Não quero nenhum exorcista. Ele não nos fez nenhum mal... para mim é como uma segunda chance.

— Não fez mal a você ainda, mas ao seu ex já deu uma boa idéia do que ele pode fazer.

Lizete sentou-se também, ficando de frente para o ex-marido, abraçando uma das pernas, deixando o pé em cima do sofá.

Tânio sentou-se ao lado de Rogério. O trio estava atordoado. Todos pensavam, ninguém falava. Os três assustaram-se quando a voz infantil invadiu a sala.

— Eu sei quem você é, Esperança.

Fixaram os olhos no pequeno menino que adentrava o cômodo.

— Eu vi você aqui outra noite dessas... — prosseguiu o menino.

Pedro caminhou até o meio da sala, ficando entre os dois sofás. O trio permaneceu em silêncio, deixando o pequeno falar. Tânio assustara-se mais que os outros, sentindo o sangue gelar nas veias ao ouvir o nome pronunciado pelo pequeno fantasma.

— Você é um detetive, não é?

Tânio meneou a cabeça, olhando fixamente para o menino.

— Eu conheço quem te odeia, detetive.

O fantasma fez uma pequena pausa, dando alguns passos para perto de Lizete.

— E... se eu fosse você, eu iria para bem longe dessa cidade, Tânio Esperança.

— Quem é você?

— Eu ... ?

Tânio meneou a cabeça novamente.

— Eu sou o outro filho. O que não foi escolhido.

— Por que está aqui?

— Quero os meus pais. Fiquei longe por muito tempo. Preciso deles agora.

— Como... como pode estar aqui? — quis saber Tânio.

— Se eu fosse você, detetive, não ficaria preocupado comigo... ficaria preocupado com os outros, com os maus.

Os três entreolharam-se com um certo desconforto. O ar da sala pareceu tornar-se mais frio naquele exato momento.

— São os maus que estão matando aquelas pessoas?

— Alguns. Às vezes, detetive, às vezes os bons matam também. É difícil, detetive, mas os bons matam também.

— Por quê?

— Não me faça perder tempo com "por quês", detetive. Tenho pouco tempo com meus pais. Agora eu quero brincar com bolinhas de gude. Você vem, mamãe?

Lizete enxugava uma lágrima que descia. Meneou a cabeça, concordando com a criança.

Pedro aproximou-se da mãe, tomando-a pela mão. Os dois foram ao corredor externo, e antes que o elevador chegasse, Rogério juntou-se a eles.

Tânio observava-os, submerso em pensamentos brumosos. Deduziu não ser conveniente segui-los no mesmo elevador; iria acompanhá-los em seguida.

Encontrou-os no *playground* do belo condomínio, brincando com bolinhas de gude em plena madrugada, observados de longe por um dos seguranças.

Tânio aproximou-se. O pequeno Pedro parou de brincar e encarou-o. Sua expressão infantil e descontraída desapareceu, dando vez a um rosto duro e intimidador.

— Você não conhece nossa natureza, detetive. Você deveria ser mais cauteloso.

— Estou te incomodando, garoto?

— Não, detetive, não está. Mas conheço quem está, e eles são muitos, detetive.

— Devo ficar assustado, menino?

— Deve. — retrucou de imediato o fantasma.

Lizete e Rogério aproximaram-se, percebendo o clima tenso entre o detetive e o menino.

— Por quê?

— Já disse, porra! — gritou Pedro. — Você não conhece nossa natureza! Não sabe quem somos!

— Quem são vocês? O que querem?

Pedro explodiu em uma gargalhada medonha.

Um vento gelado percorreu o *playground*, fazendo os três esfregarem o braço, protegendo-se, quase involuntariamente, do frio inexplicável.

— Quero os meus pais.

— E por que diabos estão matando as pessoas?

— Não fui eu quem matei, Esperança. Como eu disse, eu não estou de volta ao mundo sozinho. Tem muito mais gente por aí, muito mais crianças que querem outras coisas além dos pais.

— Como é possível vocês estarem aqui, filho? — perguntou Rogério, tentando entender o que o fantasma dizia.

— Quando se está vivo, papai, tudo é possível. O amor e o ódio fazem coisas incríveis quando estão juntos, e, quando estamos lá, isso é tudo o que a gente tem.

— Amor?... — perguntou Lizete.

— Ódio, mamãe. Principalmente ódio.

— Você odeia seus pais? — perguntou Tânio, aproximando-se ainda mais do fantasma.

— Odeio, porra! — vociferou o fantasma, assustando os pais, que recuaram alguns passos.

O quarteto ficou em silêncio, enquanto um dos seguranças do condomínio se aproximava. Lizete adiantou-se para afastá-lo. Queria ficar a sós com o menino, e a presença de estranhos poderia inibi-lo, interromper aquele encontro elucidativo.

Lizete voltava quando o fantasma tornou a falar.

— Odeio, mas não quero mais odiar. Chega disso! Estou aqui para melhorar. Sou uma criança, quero carinho. Quero entender melhor o amor. Chega de ódio. Aquelas coisas ruins são feitas de ódio...

— Que coisas ruins?

— As sombras, papai. Alguns de nós tornam-se sombras. Coisas escuras feitas de puro ódio que dominam outras coisas escuras, as piores. Essas coisas piores são menores, mas são mais poderosas... carregam mais ódio. Mais ódio porque estão perto. Estavam perto de melhorar, mas não puderam. Antes de voltar, ficam soltas aqui por algum tempo, não muito, mas agora, que estão sendo recrutadas pelos meus amigos, tornaram-se coisas muito, muito perigosas. Eu tenho medo, papai...

— Como eu posso te ajudar, filho? — perguntou o homem compadecido, abaixando e abraçando o pequeno Pedro.

— Você não pode, papai, não pode.

Lizete juntou-se a Rogério no abraço.

Tânio tentava achar sentido naquilo que acabara de ouvir. Era bom lembrar-se de tudo ao voltar ao apartamento para poder anotar. Sentiu que não era bom irritar o pequeno fantasma, mas precisava arriscar, precisava de mais respostas e respostas mais concisas.

Tânio olhou a sua volta. Viu algo que poderia ajudar. Num canto do parquinho havia uma bola abandonada. Retirou o par de sapatos que calçava e deles fez um gol.

Apanhou a bola e começou a fazer embaixadas, chamando a atenção do trio. Ensaiou alguns dribles contra adversários invisíveis. Chutou pra cá, chutou pra lá, driblou um goleiro "fantasma" e marcou um golaço, festejado como um marcado na final do campeonato brasileiro. Voltou a fazer embaixadas, divertindo-se com a bola.

Lizete e Rogério entreolharam-se.

O pequeno Pedro abriu um largo sorriso.

— Futebol! — vibrou a criança.

Lizete e Rogério começaram a entender aonde o detetive queria chegar.

— Eu já vi crianças jogando futebol!

— Quer jogar, filho?

— Eu posso, mamãe? Posso?

Lizete balançou a cabeça, dando permissão ao guri. Timidamente, Pedro aproximou-se do pequeno campo improvisado pelo detetive.

— E aí, guri? Quer brincar um pouco?

Pedro aquiesceu e correu em direção à bola chutada de lado pelo detetive. Em sua primeira tentativa, o pé atravessou a bola sem movê-la do lugar. Pedro olhou para a esfera de borracha com expressão aborrecida.

— Vamos, garoto. Tente outra vez. — insistiu o detetive.

Pedro concentrou-se e em seguida chutou a bola, lançando-a de volta ao detetive.

— Ei, Rogério! Tire os sapatos e faça outra trave ali. Vamos ensinar o menino a jogar bola!

— E-eu, eu não sei jogar futebol. — reclamou o médico.

— Deixe isso pra lá, vamos brincar com nosso filho. — disse Lizete, puxando o médico pela camiseta.

Começaram uma partida descontraída, Tânio e Lizete contra Rogério e Pedro. O menino aprendeu rápido, controlando a bola com certa habilidade. Logo começou a tirar vantagem de sua condição etérea, atravessando os adversários quando estes usavam o próprio corpo para bloqueá-lo. O jogo de futebol rendeu boas gargalhadas, e no final ninguém sabia mais o placar. Os três adultos estavam transpirando, enquanto Pedro permanecia cheio de energia, como se não houvesse corrido duzentos metros ainda.

— Vamos, papai, vamos jogar mais bola.

— Estou cansado, Pedro, preciso descansar. São quatro horas da madrugada, não tenho mais idade para isso.

— Precisamos todos descansar, menino.

Pedro sentou-se junto da mãe.

— Você não se cansa? — quis saber o detetive.

— Não. — respondeu prontamente o guri.

— Gostou do futebol?

— Sim, mamãe. Adorei. É tão divertido...

Vendo-o daquela forma, qualquer um poderia tomá-lo por uma criança normal. Estava sorridente e contente com um jogo de bola. Era um meninote que aparentava nove, oito anos.

Tânio aproveitou o ar descontraído do garoto e resolveu abordá-lo com perguntas mais importantes.

— Pedro, como podemos fazê-los parar de matar pessoas?

O garoto perdeu o sorriso, ficou em silêncio, encarando o detetive. Depois de quase um minuto abriu a boca.

— Não pode, detetive. Não pode detê-los.

— Por quê?

— Porque eles têm direito, detetive. Eles têm direito de matar. Alguns estão loucos... alguns que te conhecem, detetive.

— Quem me conhece, Pedro?

— Há um que te conhece muito bem, e virá atrás de você, detetive, mais cedo ou mais tarde ele virá cobrar a dívida. Se eu fosse você, eu esconderia esse rabo bem longe daqui... o que talvez não adiante nada.

— Como podemos detê-lo? Como posso detê-lo?

Pedro levantou-se do chão e correu velozmente de encontro ao detetive, jogando com violência seu pequeno corpo contra o de Tânio. O detetive, desprevenido, perdeu o equilíbrio e foi ao chão desastrosamente. Lizete gritou, aproximando-se do filho.

— O que você está querendo, detetive? — gritou enfurecido o pequeno fantasma, com a voz transfigurada. — Está querendo nos liquidar? Quer encontrar nosso ponto fraco?! Acha que não percebo suas intenções?

— Por que você fez isso, Pedro? Tânio é nosso amigo.

Tânio levantava-se quando recebeu um potente chute no estômago, indo ao chão novamente. Arfava de dor; nunca antes fora atingido por um golpe tão poderoso.

— Viu? Você pôs minha mãe contra mim. Ela está brigando comigo, detetive! Eu te mato! Eu te mato!

Lizete correu até o filho, abraçando-o antes que investisse contra Tânio mais uma vez. Ao abraçar o garoto, parte de seus braços penetraram naquele espectro enraivecido. Sentiu os membros esfriarem demais, como se estivesse agarrada a um bloco de gelo. Foi obrigada a soltar o filho, caso contrário teria os membros congelados.

O garoto ficou andando ao redor do detetive, observando-o a se contorcer de dor.

— Você, detetive Tânio Esperança... aposto que se acha muito esperto. Você... você já está marcado. Eu mesmo vou me encarregar de apressar a sua hora. Só espero que tenha a sorte de que nenhuma coisa negra venha em companhia dele.

— Dele quem? — perguntou Tânio, ainda contorcendo-se no chão.

Pedro abaixou-se velozmente, levando o rosto até quase tocar a face do homem.

Rogério abraçou Lizete, impedindo-a de aproximar-se do detetive.

— Você já perdeu, detetive. Já perdeu.

— Perdi o quê, droga!?

Pedro levantou-se e encarou os pais com o rosto fechado em uma carranca.

— Eu vou embora. Amanhã eu volto.

— Espere, filho... espere... — implorou a mulher.

Pedro correu em direção ao prédio e, antes de alcançar o edifício, seu corpo desintegrou-se no ar.

# Capítulo 10

A garotinha observava a mulher do outro lado da rua. Ela comandava o trabalho de duas crianças mal vestidas. Viu a mulher entornar mais um gole de cachaça e encostar na banca de jornal, escondendo-se na sombra assim que o semáforo acendeu a luz amarela.

As duas crianças, um menino com pouco mais de um metro e a menina, tão pequena quanto ele, dirigiam-se aos carros que paravam e esmolavam trocados aos motoristas estacionados em frente do Estoril.

Quando o farol abria, os carros disparavam para a avenida dos Autonomistas, enquanto as crianças corriam até a mulher, entregando as parcas moedas recolhidas.

A garotinha estava ali parada há aproximadamente quatro horas. Já estava perto da meia-noite, e durante aquele tempo todo permaneceu ao lado do ponto de táxi, observando aquela incessante operação da exploradora de menores. Sentiu raiva. A pequena menina que esmolava, quando voltava de mãos vazias, recebia tapas na cabeça, retornando aos prantos para o meio da rua, algumas vezes quase atropelada pelos veículos em alta velocidade. O menino parecia ter mais sorte; eventualmente recebia um puxão de orelha, mas, estranhamente, a mulher logo o agarrava e dava-lhe um beijo no topo da cabeça. Estava mais preocupada com a menininha, que parecia muito triste e dominada por uma depressão avassaladora. Por que não cuidavam bem daquelas almas? A garota cansou-se de ficar ali parada vendo a pequena ser castigada em suas investidas infrutíferas. Quando a luz amarela acendeu de novo, a garota abandonou o ponto de táxi e dirigiu-se para o meio da rua, começando também a pedir alguns trocados aos motoristas estacionados. Apanhou algumas moedas e procurou a menina triste com os olhos. Aproximou-se, estendendo a ela suas moedas. A menina triste esboçou um sorriso tímido e, assim que o farol tornou-se verde, correu para a mulher, entregando o que tinha obtido. Nenhum cascudo desta vez, mas também nenhum carinho. A garota retornou ao ponto de táxi, junto ao prédio do Bingo Estoril. Aguardou até o farol fechar-se novamente para voltar aos carros e pedir dinheiro. Não era tão difícil. Apanhava algumas moedas e logo corria para entregar o dinheiro à menina triste e salvá-la do castigo. Gostava de ajudar as outras crianças. Queria ter pais como as outras tinham... só não queria aquela mãe. A mãe que fazia os filhos pedirem dinheiro no semáforo enquanto entornava bebida alcoólica garganta abaixo e tratava os filhos aos cascudos quando estes não juntavam dinheiro suficiente para a próxima garrafa. Não, ela não queria esta laia de pais. Queria pais brincalhões, carinhosos. Mamães que lhe dessem uma boneca bonita ou uma beijoca estalada. Sim, era desse tipo de mamães que as crianças precisavam. Mães como aquela do outro lado da rua eram melhores quando estavam mortas.

A mulher viu a menina de cachinhos negros no meio das fileiras de carros esmolando no mesmo sinal que as suas crianças. Que ousadia era aquela de atropelar o ponto dos outros? Seus olhos embriagados varreram a calçada oposta procurando pelo "agente" daquela guria. Não encontrou ninguém. Esperou meia hora até ter certeza de que a menina estava sozinha. Não sabia se ela era uma menor de rua, aquelas roupas pareciam novas demais para quem vivia à sorte. Vestidinho escuro, quase na mesma cor dos cabelos e olhos vivos, espertos... feliz. Devia estar perdida... e a danadinha já queria tomar sua praça! A mulher alcançou-a antes que a garota se aproximasse de sua menina. Agarrou-a pelo braço na intenção de arrastá-la para a calçada, até a sombra da banca de jornal, onde não chamaria a atenção dos transeuntes. Antes de sair do asfalto, sentiu a mão atravessar uma massa fria, como se houvesse afundado no gelo. A garota estava livre, sem que ela tivesse aberto a mão para libertá-la. Como podia ser? Encarou-a nos olhos, voltando a agarrá-la. A mão atravessou o bracinho da menina como se ela fosse uma miragem. A mulher cambaleou, apoiando o corpo na banca de jornal. Já tinha bebido demais, disso não tinha dúvida. Só podia ter errado o braço da menina e se desequilibrado. Ninguém atravessa o braço de alguém como se ele fosse fantasma, exceto os bêbados. Arrumou o lenço preso à cabeça. A menina permanecia ali, olhando-a fixamente, desafiadora. A mulher riu, querendo alcançar a menina com os dentes podres que enfeitavam sua boca rachada. Crianças gostavam de sorriso, e aquela não constituía uma exceção, posto que retribuía o sorriso da pinguça. A mulher sentou-se numa mureta que formava um grande vaso de pedras.

— Vem cá, minha filha.

A menininha aproximou-se.

— Quantos anos você tem, minha filha?

— Seis.

— Você é tão lindinha... cadê seus pais?

A garota deu de ombros, cabisbaixa.

— Ah, tadinha! Tá perdida, é?

A menina concordou.

— Cê gostou da minha menina, né?

A menina sorriu, meneando a cabeça mais uma vez.

— Ela tá precisando de uma irmãzinha bonitinha feito tu. Por que você não fica com ela? Eu posso ser sua mãe. Ser boazinha que nem eu sou com a Soraia. Tu quer ficar com a gente?

A menina sorriu e aproximou-se ainda mais da mulher.

— Como você se chama? — perguntou a menina.

— Basília... É feio, né?

A menina riu.

— Não, não é.

— E você? Como se chama, gracinha?

— Maria.

— Que nem a santa, né? Nome bonito... — resmungou a mulher.

A garota sorriu mais uma vez. Olhava em silêncio para a embriagada. Achava-a engraçada, apesar da maldade que impunha às crianças.

Os guris retornaram, correndo, trazendo o ganho daquela rodada. Basília, sem conferir a soma das parcas moedas, arremessou-as para dentro de um saco de pano imundo. Levou o frasco de cachaça à boca e enxugou com as costas da mão. Depois de uma breve careta, tornou à garotinha:

— Eu vou ser sua mamãe, mas você vai ter de trabalhar que nem a Soraia... vai pedir dinheiro no sinal pra mãe. Tô muito doente pra trabalhar, me dói tudo os ossos... e essa pinga que eu não paro de tomá... — explicou a mulher, afagando os cabelos da pequena.

Basília retraiu a mão rapidamente e benzeu-se. Um calafrio ligeiro passou pelo corpo. Aquela menina era estranha, mas era uma menina. Iria render algum dinheiro a mais.

Já eram quase duas horas da manhã quando Basília decidiu encerrar o expediente. Chamou as crianças aos berros, fazendo-as reunirem-se junto à banca de jornal.

Sentaram-se em roda, acompanhando a mãe, que, acocorada, contava o dinheiro.

— Quarenta reais! Que miséria...

Os irmãos encolheram-se. Sabiam que quando ela começava daquele jeito, era sova na certa.

A pequena Maria notou a transformação no semblante dos pequenos, ficando atenta às atitudes da mulher.

— Que merda! Essa porcaria não vai dar pra nada de novo.

Levantou-se. Apanhou uma ripa recostada na banca de jornal e atingiu o rostinho de Soraia. A menina deitou-se na calçada, gemendo de dor. O irmão parecia pronto para socorrê-la, mas um medo angustiante o dominava, mantendo-o congelado em sua posição.

— Quarenta reais. Tenho tanta dívida pra pagar, e vocês vêm com quarenta reais! — gritou a mulher, dirigindo desta vez a ripa para o garoto.

Maria levantou-se rapidamente, como se seu corpinho não possuísse peso algum. O rosto tinha uma expressão enraivecida. Aquilo não podia continuar.

Basília assustou-se e cambaleou para trás.

— Hoje tu não apanha porque é nova na família, viu? Não adianta fazer cara feia, amanhã tu entra na linha. — ameaçou a mulher, brandindo a ripa. — Vamos embora. Esses osasquenses miseráveis não têm dó de criança nenhuma, não. Vamos pra casa.

Basília arrastou Soraia pelo chão e, aos chutes, obrigou-a a se levantar.

— Vamos pegar ônibus lá perto do cemitério. Vamos de meia-um.

— Perto do cemitério, não, mãe. Você sabe que eu tenho medo. — reclamou o menino, angustiado.

— Cala a boca, Cinho. Cala a boca! Cê parece bicha, moleque. Não é homem, não?

— Eu tenho medo, mãe.

— Eu tenho meeeedo, mãe. — caçoou a mulher, arrastando mais irritada a menininha que ainda chorava, agora assustada com a agressividade da mãe.

Maria acompanhava-os de perto. Estava triste. Criança nenhuma merecia mãe como aquela. Uma mulher que desprezava o medo do filho e espancava a filha. Uma mulher como aquela merecia estar morta.

Passaram em frente de uma escola de inglês. A rua arborizada estava completamente deserta.

Maria parou, deixando a mulher afastar-se com as crianças alguns passos. Estava diante de uma casa abandonada. Os passos do trio ecoavam na madrugada. Uma mãe como aquela merecia estar morta.

— Basília!

A mulher parou, surpreendida pela voz da nova filha. Virou-se e encontrou-a parada em frente de uma casa velha.

— Que você quer aí?

— Deixei meu dinheiro aqui.

— Que dinheiro, menina... iiih, tu é louca, é?

A garota meneou a cabeça negando.

— Que dinheiro, menina? Eu tô cansada, não quero sabê de brincadeira.

— Eu vou buscar. — disse a garota, entrando na casa.

Basília virou-se, decidida a deixá-la. Conteve-se. E se ela estivesse dizendo a verdade... ? Se tivesse algum dinheiro guardado naquela casa? Ela podia ter roubado a carteira do pai. Aquela louquinha. Podia querer fugir, agora que a vira maltratando os filhos.

— Esperem aqui. Se arredarem o pé dessa calçada, eu vou encher vocês de cascudos. Tão ouvindo?

Basília entrou na casa. A porta frontal parecia arrombada. Levou a mão ao interruptor, mas a luz não acendeu.

— Cadê você?

A garota não respondeu.

A mulher atravessou a sala vagarosamente. Espiou na cozinha. Como ia enxergar aquela fedelha naquela escuridão? Voltou à sala. Um pouco da claridade da rua invadia o cômodo. Ouviu passos na escada. Subiu. Viu a garota entrando na última porta do corredor.

— Volta aqui, sua peste! — esbravejou a mulher.

— Vim pegar o dinheiro... — murmurou a voz infantil.

Basília escorou-se na parede, avançando o último degrau. Estava tonta demais. A cachaça era boa, mas o estômago já não era o mesmo.

— Sua retardada! Anda logo, esse lugar tá muito escuro... não gosto do escuro.

— Tem medo?

A mulher cuspiu sobre os tacos do corredor. Do que a menina estava falando? Caminhou em direção ao último cômodo, mas no segundo passo tropeçou em um buraco e caiu.

— Merda, menina! Me ajuda aqui... acho que quebrei o joelho. Puta merda!

— O Cinho tem medo de cemitério.

— Aquele moleque deve ser bicha.

— Como fala assim de seu filho?

A mulher ergueu a cabeça. A luz não chegava àquela parte do corredor, por isso seus olhos não distinguiam nada para mais de um palmo do nariz.

— Ele não é meu filho.

A garota não disse mais nada.

— Que você tá fazendo aí, Maria? Já achou a porra do dinheiro?

— Não! — vociferou em resposta.

Basília estremeceu ao ouvir aquele grito feroz. Forçou os olhos em direção ao quarto. Um par de brasas incandescentes flutuava na escuridão, vindo vagarosamente em sua direção.

— Maria... — balbuciou a mulher.

Basília vomitou sobre as próprias mãos. A menina, como se fosse a bunda de um vaga-lume, acendeu-se no meio do corredor, tomando uma coloração levemente esverdeada.

— Quem é você?

— Sua retardada! Se ele tem medo do cemitério, por que você o leva lá?! — vociferou a garotinha.

— E-eu não levo ele lá... a gente pega o ônibu...

Antes que a mulher terminasse, a garotinha desferiu um chute forte na boca. Basília caiu de costas. Assustada e fora de controle, tentava se levantar. Quando ficou de pé, caiu novamente. O joelho estava realmente ferido, impedindo que a embriagada se firmasse.

— Você não vai escapar esta noite, Basília. Você está devendo muito a eles. Na verdade, seu crédito acabou faz tempo.

Basília sentiu a mãozinha fria da garota agarrar seu tornozelo, arrastá-la para o fim do corredor e arrancar de sua cintura o saco de dinheiro.

— Você tem fome de dinheiro, mulher. Machuca crianças, que nem seus filhos são, para ter dinheiro.

Basília ouviu o tilintar de dezenas de moedas sendo esparramadas no chão.

— Você não liga para as crianças. Elas estão nesta terra por uma razão... não por sua razão.

Basília se remexeu desorientada. Precisava fugir daquela criatura que tomara como criança.

— Crianças têm alma! Sabia?! — gritou a garotinha. — É hora de matar sua fome, sua vaca!

Dez minutos depois, Maria abandonava a casa, dirigindo-se para a calçada e juntando-se às duas crianças.

— Vamos.

— Mas e a mamãe? — perguntou Soraia.

— Ela disse para vocês não se preocuparem. Disse para virem comigo e não se preocuparem. Vai nos alcançar depois... em um outro lugar, em uma outra hora.

As duas crianças se levantaram, dando a mão para Maria. Os três seguiram caminhando, com o estalar de quatro sapatos contra a calçada.

# Capítulo 11

Tânio reclinou-se pela enésima vez na cadeira. Aguardava Lizete e Rogério. Pelo visto, a dupla de "ex" havia perdido a hora. Tinham combinado de encontrarem-se no escritório do detetive às nove horas da manhã. O detetive pensara um bocado. Quem queria pegá-lo? O pequeno fantasma deixara claro. Dentre os fantasmas assassinos, um estava querendo apanhá-lo. Se o baixinho estava pensando em assustá-lo, o safado tinha conseguido. Tânio tivera uma infância evangélica. Cansou-se de ouvir falar de Deus, do bem, do mal, do diabo a quatro. Teve sua fase católica, mas sempre se sentia apático demais para continuar acreditando na Bíblia. Tinha coisas em que não acreditava, convicções diferentes. Por isso, como sua fé não era cem por cento, decidiu tirar umas férias da religiosidade. Só que agora, esse caso de fantasmas resgatava lembranças de contos bíblicos e experiências religiosas de histórias de centros espíritas. Sabia que Deus existia, nunca duvidou disso, mas não se sentia próximo o suficiente para ter certeza de que Ele estava de olho nele, se Ele cuidaria para que Tânio não fosse atormentado por aquelas aparições bizarras, que de alguma forma, ao que tudo indicava, tinham descolado um jeito de passar para o lado de cá; o lado dos vivos em carne e osso.

Tânio levantou-se. Estava inquieto. O dia seria cheio. Tinha que dar um jeito de passar na delegacia de Wílson.

Continuar o intercâmbio de informações poderia surtir resultados com maior rapidez.

Foi ao banheiro e apanhou seu desodorante predileto e, por baixo da camisa, deixou o *spray* alcançar as axilas. Balançou a mão em frente do rosto para afastar o restante do produto que pairava no ar.

Uma coisa estava clara para o detetive: aquelas aparições não eram nenhum embuste. Estavam vivenciando uma experiência paranormal de primeiro grau. Estava torcendo para o especialista do Wílson ter muitas e boas respostas para toda aquela baderna sobrenatural.

Foi absorto nesses pensamentos que a campainha do escritório o trouxe de volta. Levou os olhos ao monitor da sala. Uma mulher com óculos escuros aguardava à porta. Chegava a lembrar o dia em que Lizete viera ao seu escritório. A mulher parecia impaciente e mantinha a cabeça baixa. Vestia uma calça preta agarrada ao corpo bem-feito. A blusa de lã, com gola alta, da mesma cor da peça inferior, dava um tom sombrio à visitante. Tânio arrumou a camisa e foi atendê-la.

Após abrir a porta, a mulher permaneceu muda. — Posso ajudá-la?

A mulher levou a mão ao nariz, se empossando de um ar pensativo.

— Entre.

Ela acompanhou o detetive, mas estacou na porta, parecendo aguardar outro convite.

Tânio já se sentava quando percebeu a "cliente" hesitante, sem adentrar a sala.

— Olha, eu não costumo fazer essa pergunta a quem me procura, porque a resposta é óbvia, mas... a senhora está com algum problema?

A mulher meneou a cabeça negativamente, deu as costas ao detetive e parecia pronta a ir embora. Tânio fez menção de levantar-se, mas notou que a "cliente" não deixara o escritório, apenas entrara apressadamente no banheiro. Aguardou quase três minutos até a mulher reaparecer. Deveria estar com o estômago bastante atrapalhado para debandar de forma tão deselegante.

— Desculpe, detetive. Não estou me sentindo muito bem.

— Sem problemas, dona...

— Mikaela.

— Mikaela. Bonito nome.

— Obrigada, Esperança. Não precisa me chamar de dona, devo ser mais nova que você.

— Que te trouxe aqui, Mikaela?

— Fantasmas. Soube que o senhor está investigando um caso semelhante.

— Ah! ótimo! Parece que fui promovido a pai-de-santo-mor de Osasco. — debochou o detetive. — Quem te disse isso?

A mulher fez um sinal para que o detetive aguardasse e correu novamente ao banheiro. Quando voltou, com a expressão bastante abatida, disse:

— Não estou nada bem. Podemos continuar essa conversa em minha casa?

— Estou com a agenda cheia, moça...

— Pode ser a qualquer hora, não tem problema. Preciso de ajuda.

A mulher não estava brincando. Tânio achou melhor deixá-la ir embora antes que perdesse o dia como acompanhante de uma desconhecida na enfermaria de algum hospital.

Mikaela rabiscou um papel sobre a mesa do detetive.

— Este é o meu endereço, se puder aparecer às dez da noite, eu agradeço.

O detetive lembrou-se do aluguel atrasado. Concordou, conduzindo a cliente à porta.

Tânio descia a rua Salem Bechara. Antes de chegar à avenida dos Autonomistas, entrou à esquerda. Três viaturas da polícia civil estavam estacionadas em frente de uma casa velha. Encostou seu Voyage na praça adiante, exatamente defronte ao prédio em que residia Rogério. Que coincidência! Outro crime envolvendo as "crianças-fantasmas" havia acontecido ali, a menos de cem metros. Tânio caminhou até a casa e logo foi identificado pelos policiais, que não lhe barraram a entrada.

— O Wílson tá lá em cima. Cê já tomou café? — perguntou Márcio, policial amigo do detetive.

— Tá tão ruim assim?

— Está pior. Vai lá e dê uma espiada.

Tânio subiu os primeiros degraus. A manhã estava quente, e o sol deixava a velha casa bastante abafada. Chegou ao corredor. Gotas de sangue manchavam o chão e a parede. Um zumbido de moscas varejeiras invadiu os ouvidos. Tropeçou em tacos soltos, chamando a atenção do grupo que se encontrava dentro do último cômodo do corredor.

— Cuidado aí, Tânio. Não vai tirar nada do lugar. — avisou o delegado.

— É outro dos fantasmas?

— Venha ver.

Tânio obedeceu ao delegado e adentrou o quarto amplo. Além do amigo, havia mais duas pessoas. Um senhor, vestido com roupas de padre, e um perito, provavelmente um legista. Este segundo estava debruçado sobre o corpo de uma mendiga. A mulher estava disforme, com sangue coagulado cobrindo boa parte do corpo. O legista puxava da boca da mulher uma fita de tecido completamente suja de sangue.

— O que aconteceu?

— Não temos testemunhas, Tânio. Mas temos indícios de que é mais um crime das "crianças-fantasmas".

— Indícios?

O delegado apontou para o padre.

Tânio fitou-o demoradamente. Que homem estranho era aquele? Por que o delegado apontara para ele?

— Que ele sabe?

— O indício não é ele, Tânio, está atrás dele.

— Desculpe... acho que estou atrapalhando. — disse o padre, dirigindo-se ao corredor.

Com a saída do padre, Tânio pode ver o "indício". Havia sangue espalhado pela parede. O detetive precisou olhar uma segunda vez para notar que o líquido escarlate não estava distribuído ao acaso, mas formava uma palavra, uma palavra elucidativa, que, sim, era um indício forte de que aquele crime estava ligado aos demais:

Mamãe.

Tânio voltou os olhos para o cadáver. O legista parecia espalhar pequenos objetos na palma da mão enluvada.

— Parece que o assassino forçou a vítima a engolir um saco com moedas... um saco de pano. É melhor examinar mais detalhadamente no IML. A morte não foi por asfixia, mas o saco entrou pela garganta com ela viva ainda. Jesus... que crueldade com essa moça... já desisti de entender essa raça. — lamentou o legista.

Wílson passou repetidamente a mão pelo queixo. A coisa estava piorando. Estava perdendo o controle da situação. A imprensa já estava alvoroçada, querendo informações sobre os supostos fantasmas.

— Esse aqui é o especialista que te falei. — disse o delegado. — É o padre Alberto.

— Alberto Cantor, prazer. — completou o padre, estendendo a mão para o detetive.

Tânio apresentou-se, e todos desceram para a rua. — O padre foi indicado pelo prefeito. Chegou na delegacia agora cedo; não tive tempo de falar com ele ainda. — disse o delegado.

O padre saía da casa.

— É sua primeira vez em Osasco, padre?

— Não, detetive. Já trabalhei um bocado por aqui.

— Fantasmas?

— ... Também.

— Uau! Que resposta! — espantou-se Tânio. — O que mais aflige nossa pacata cidade além dessa onda de almas penadas estressadas?

O delegado riu do deboche do rapaz.

— Vampiros.

— Vampiros?!

O padre confirmou balançando a cabeça repetidas vezes.

— Ora, padre, dá um tempo

O padre encolheu os ombros.

— Aquela papagaiada toda de Drácula...

— Você acreditava em fantasmas até encontrar esses casos? O delegado me disse que você tem uma cliente que está sendo visitada.

— Tem razão, padre. — disse Tânio, enquanto tirava um cigarro do maço guardado no bolso da camisa.

Os três afastaram-se da casa, tomando rumo à praça onde Tânio estacionara o carro. Conversavam enquanto andavam.

— Só que agora não é hora para vampiros... precisamos saber mais sobre fantasmas, padre. Precisa dizer como deter essas coisas. São violentos demais... a população vai entrar em pânico.

— Vai mesmo. Nunca vi gente morrer desse jeito. — comentou o detetive enquanto tragava a fumaça.

— Esse é o problema, detetive Esperança. Esse é o problema.

— O quê?

— Eu também nunca vi "fantasmas" atacando gente com tanta violência... normalmente essas criaturas se manifestam com a maior sutilidade. Um perfume na casa, sonhos insistentes... é rara uma materialização... muito raro mesmo. É de se espantar que tais criaturas, digo, fantasmas, estejam aparecendo, crianças surgindo e matando pessoas. Duvido que sejam fantasmas... parece algum tipo de manipulação mental. Alguém interessado em fazer esses crimes parecerem praticados por entidades.

— Desculpe, padre, mas eu vi uma dessas coisas. Toquei na coisa. — Tânio arrepiou-se ao lembrar o espectro do pequeno Pedro, friccionando a mão no braço. — Não fui manipulado.

— Explica essa história melhor. Você não disse nada disso.

Tânio encostou-se no Voyage.

— Não contei porque aconteceu ontem à noite.

— Tocou... — murmurou o padre.

— Toquei.

— Como foi?

— Estranho, padre. Bastante estranho. Senti um frio intenso ao ver minha mão mergulhar naquela coisa. Era um fantasma... uma alma penada.

— Alma penada? O que essa alma quer? — Quer conviver com os pais. Quer ser um filho comum. É a coisa mais esquisita que presenciei.

— Mas por que estão matando as pessoas? — quis saber o delegado.

— Não entendi nada do que aquele fantasminha disse... aquela coisa não é nenhum Gasparzinho. É fácil enganá-lo, mas ele nos engana fácil também. De repente ele toma consciência... perde aquele ar infantil... é de dar medo. Disse que eles são muitos, que têm o direito de matar, que matam quem merece...

— Como no caso dos estupradores e do Damião. completou o delegado.

O padre meteu o dedo no colarinho, puxando-o para os lados, como se estivesse sufocado.

— O que o especialista tem a dizer?

— Nunca vi um caso assim. Esse negócio deles terem direito... não vejo o porquê. De todos os casos de aparições que já examinei, nunca houve contato físico tão contundente... apareciam para dizer alguma coisa, dar um aviso.

— Tem mais uma coisa que eu não disse. A minha cliente acredita que esse fantasma, que se identifica pelo nome de Pedro, é seu filho que não nasceu.

— Quê?! — espantou-se Wílson.

— Ela fez um tratamento para engravidar. Teve alguns óvulos fecundados com espermatozóides do marido. No dia da intervenção, quando iam implantar o embrião viável, apresentaram duas opções. Ela escolheu um filho, que morreu anos depois. Agora ela acredita que o segundo óvulo fecundado, o Pedro, é esse fantasma que lhe vem aparecendo.

— É discutível, filho. Nunca ouvi falar em relatos desse tipo.

— O senhor já procurou relatos desse tipo?

O padre não respondeu.

— Eu quero saber, padre, como é que a gente vai deter esses fantasmas. Essa bagunça já foi longe demais. Quem garante que aquela mendiga lá em cima merecia morrer daquele jeito? Tô preocupado com gente inocente. — queixou-se Wílson.

— Tenho um palpite, Wilsão. Se essa estória da Lizete for verdade...

— Quem é essa mulher?

— Minha cliente...

— É verdade. — recordou-se — Que tem a estória dela?

— Ela relacionou o fantasma ao embrião congelado. O embrião, presumivelmente, ainda existe. A clínica que o conserva é de Osasco. Fica no Campesina.

— Você acredita que, acabando com o óvulo, o bebezinho, pode acabar com o fantasma?

— É, padre. Se acharmos o embrião do Pedro, podemos destruí-lo. Se a minha amiga não receber mais visitas daquelas coisas, caso encerrado.

— Encerrado o "seu" caso. — disse o padre.

— Tá certo, mas ao menos saberemos como acabar com os fantasmas.

— Vamos lá. Vou ter uma conversa com o dono dessa clínica. — disse o delegado, dirigindo-se para a viatura.

— Espera, Wilsão. A clínica tá fechada. O médico não está mais lá.

— Que merda! Agora complicou... não posso entrar lá antes de conseguir um mandado. Como eu vou justificar essa merda? Vou alegar que preciso exorcizar uma clínica de mulher?!

— Você precisa de permissão, eu não. Vamos lá, Wilsão. Se deixar pra amanhã, mais gente vai morrer, pode apostar.

— Quanto antes agirmos, mais cedo teremos respostas. — completou o padre.

O delegado pensou por um instante. Aceitou.

— Ótimo. Vamos no meu carro, assim fica melhor. Todo mundo ia notar um delegado japonês junto com um padre "caça-fantasmas" numa viatura da civil. No meu "pois é" velho a gente chama menos atenção.

Os três embarcaram no carro de Tânio e rumaram para o bairro da Vila Campesina. No meio do caminho, Tânio telefonou para o celular de Lizete pedindo que se encontrassem em frente da clínica. Por sorte, a amiga ainda estava em casa. Com a voz rouca e cansada, parecia ter acabado de acordar.

Foram rápido da cena do último crime ao bairro da clínica. O trânsito estava tranqüilo, e o sol dava um ar "saudável" ao céu de Osasco, geralmente cinza e sufocante na região do centro. O dia parecia ainda mais agradável na Vila Campesina, um dos bairros mais arborizados e bonitos da cidade. Tânio parou o carro nos fundos de uma concessionária de veículos, atravessaram a rua, que, oportunamente, estava quase deserta. A sujeira e o acúmulo de correspondência no estacionamento da clínica confirmavam sua inatividade. O detetive aproximou-se primeiro. De olhos arregalados, voltou-se para o delegado Wílson, fazendo sinal para que se aproximasse. A clínica não estava trancada. Um buraco no lugar da fechadura revelava que tinha sido arrombada. Tânio empurrou a porta, seguido por Wílson, que já sacara a pistola. Fizeram sinal para que o padre Alberto Cantor esperasse ali fora. Logo após a porta de madeira, havia outra, feita de vidro. Estava com a tranca de ferro serrada. O arrombador certamente era um profissional. Wílson tomou a frente. Estavam agora na recepção; o chão estava forrado por um carpete fino, e nele não encontraram marcas que dessem pistas do invasor. Chegaram a um corredor extenso, cujas duas primeiras portas davam para consultórios vazios, com alguns instrumentos abandonados em cima das mesas e camas de exame desarrumadas, como se os doutores e os pacientes tivessem debandado às pressas. O calor que o sol produzia lá fora parecia não existir naquele recinto. O frio predominava e aumentava a cada passo em direção à porta no fim do corredor. Após a porta, encontraram um cômodo que se assemelhava àqueles laboratórios de filmes de ficção científica. As paredes eram cobertas por azulejos brancos do chão ao teto. O frio intensificou-se. Tânio encontrou interruptores e conseguiu fazer as luzes acenderem. O silêncio era total. Wílson deu com os ombros, como se perguntasse ao amigo qual seria o próximo movimento. Tânio cruzou o laboratório até uma segunda porta. Ao abri-la, uma névoa esbranquiçada invadiu a sala. O frio apertou a ponto de fazê-lo ranger os dentes. Wílson aproximou-se cauteloso. Era outra sala azulejada onde havia seis tambores metálicos, com tubos recobertos por uma capa grossa de gelo que convergiam para um mesmo ponto: o canto esquerdo da sala. O delegado fez menção de adentrar o recinto, mas, repentinamente, a porta arremessou-se, como se animada por vontade própria, contra o batente, trancando-se. Os dois chegaram a saltar para trás, tamanho o susto. Passado o espanto, Tânio aproximou-se da estranha porta, que agora, como os tubos metálicos, parecia cobrir-se de uma camada de gelo. Pousou a mão na maçaneta, mas, mesmo com muito esforço, não conseguiu mover um centímetro sequer. Estava emperrada... fantasmagoricamente emperrada. Tânio ia comunicar o empecilho ao delegado, porém um novo barulho de porta tomou-os inesperadamente. Agora, a porta do laboratório se fechara. Estavam trancados. De trás de uma bancada, uma voz infantil fez-se ouvir, provocando novo susto na dupla de investigadores.

— Esta é nossa casa... Que querem aqui?

Tânio, mais habituado aos fantasmas que o amigo delegado, caminhou pelo laboratório até divisar a pequena aparição. Atrás da bancada, acocorado no canto da sala, estava um menininho.

Tânio gesticulou para o delegado se aproximar. Wílson caminhou cauteloso até perto do amigo e então pôde ver a pequena criatura. Chegou a arrepiar-se. Era a primeira vez que botava aqueles olhos experimentados em um ser sobrenatural.

— Que querem aqui?! — gritou a criança, olhando para os invasores com olhos vermelhos e chamejantes.

— Queremos entender. — balbuciou Tânio.

— Entender o quê?

— Vocês. Por que estão aqui? Por que estão matando pessoas ... ?

— Você é estúpido?! — gritou o fantasma, colocando-se de pé num salto ágil. — Vocês interferem e agora querem entender? Vocês nos criaram! Vocês não deixam a gente vir! Agora espantam-se com nossa fúria?

Ao pronunciar a palavra "fúria", o garoto trouxe as mãos para a frente do corpo e vários recipientes vítreos voaram de cima da mesa em direção aos dois, alguns explodindo contra a parede.

Wílson apontou a arma para o fantasma e, quando disparava, o braço do detetive fê-lo desviar a mira da pistola. Estilhaços de vidro e azulejo foram arremessados novamente contra a dupla, obrigando-os a protegerem os olhos. Quando Tânio abriu-os novamente, seu coração disparou. A sala estava repleta daquelas pequenas criaturas em forma de crianças. Todas se vestiam de preto e tinham expressões carrancudas enfeitando o rosto.

— Deus do céu! — exclamou Wílson, erguendo a pistola mais uma vez.

Um vulto veloz arremessou-se contra o delegado, fazendo sua arma desaparecer.

— Malditos! — gritou uma das crianças.

— Para que vieram aqui? Para destruir nossa casa?

Um frio apavorante tomou conta dos corpos dos dois investigadores, fazendo-os cruzar os braços. Um medo poderoso deixou-os atônitos, sem saber como argumentar com as criaturas.

— Malditos! Não querem deixar a gente voltar!

— Queremos justiça! Vocês vão pagar!

Um novo vulto atirou-se contra o delegado Wílson, fazendo-o bater forte contra a parede as suas costas.

Tânio sentiu um soco poderoso atingir-lhe a face. Cambaleou atordoado. Um novo golpe no abdome fê-lo curvar-se; uma pancada na cabeça o jogou contra o chão terrivelmente gelado. Uma saraivada de golpes lancinantes açoitava-lhe o corpo. Sua cabeça doía demais. Tânio perdeu os sentidos.

# Capítulo 12

Abriu os olhos. A parte direita do rosto doía à beça. Levou a mão até a face. Percebeu que havia hematomas no braço. O olho direito estava fechado, e o outro proporcionava uma imagem manchada, cheia de bolinhas flutuantes. Onde estava? Um quarto escuro. Alguém na janela. Uma mulher. Ela virou-se e o viu acordado.

— Tânio?!

— Humpf. — resmungou o detetive.

A mulher aproximou-se e afagou seus cabelos. Uma pontadinha dolorida surgiu no topo da cabeça.

— Onde eu estou?

— Tá no Cruzeiro.

O hospital. Cruzeiro do Sul. A voz. Conhecia a voz. Era a amiga.

— Por que me trouxeram pra cá?... eu não tenho convênio... esses merdas vão me cobrar os olhos da cara... se eu ainda tenho os dois...

— É um excelente hospital, Tânio. Tão cuidando direitinho de você. O Rogério deu um jeito, você não vai pagar nada.

— Cadê o Wilsão?

— O delegado?

— É...

— Ele foi transferido para um hospital da polícia... não corre perigo, mas tá feio que nem você.

Tânio tentou sentar-se, mas uma dor lancinante apertou as costelas, forçando-o a largar-se na cama, em meio a queixas e gemidos agudos.

— Puta merda! Aquela molecada não é mole.

— O que aconteceu?

— Eu é que pergunto. Apaguei, não vi mais nada...

A porta abriu-se lentamente. Tânio apertou as mãos, num reflexo assustado. Pensou que seu olho bom veria uma "criança-fantasma" escapando da penumbra do corredor para o quarto. Mas, para seu sossego, não foi isso que aconteceu. O homem vestido de padre entrou. Como era o nome mesmo? Alberto... Alberto Cantor.

— Padre... — murmurou o detetive.

Alberto acercou-se da cama.

— Agora você acredita em fantasmas violentos?

— Preferia não acreditar, filho. Vocês demoraram tanto para sair, que eu fui obrigado a entrar. Que surpresa desagradável foi encontrá-los desmaiados! Deus...

— Você viu os fantasmas?

Alberto meneou a cabeça, negando.

— Vocês estavam demorando demais, e quando entrei, confesso, estava apavorado. Encontrei vocês naquela sala, que parecia um misto de cozinha com laboratório... vocês estavam desmaiados, no chão, sangrando. Acudi-os como pude... chamei socorro. Ainda não me habituei a essas coisas de gente espancada, morto aqui e ali... é muito raro nos casos que investigo, mas quando acontece... é assim, de arrepiar.

— Mas... o senhor acredita que...

— Claro, filho, claro. Descanse. Vamos encontrar uma solução para o caso. Conte-me como foi esse último encontro.

— Estávamos naquela sala, onde nos encontrou. Não sei se o senhor se lembra, mas havia uma segunda porta do outro lado do laboratório. Dentro daquela última sala tinha uns tambores refrigerados...

— É onde guardam os embriões. — disse Lizete, interrompendo.

O padre ouvia atento, computando todos os novos dados.

— Então é isso... — balbuciou o detetive. — ...eles estavam guardados lá. Se a nossa teoria de que esses fantasmas estão ligados com aqueles óvulos... embriões vivos... acho que basta destruir aqueles tambores para exterminá-los.

— Não! — gritou a mulher.

Tânio calou-se, tentando compreender a reação da amiga.

— Aquelas coisas, Tânio... coisas, meu Deus, isso não é jeito de chamá-los... não são "coisas"... são crianças! Estão vivas! De alguma forma, estão vivas.

— Mas estão fora de controle, Lizete. Estão matando gente. Não podemos perder mais tempo tentando compreendê-los... também não sou nenhum facínora, mas a menos que o Sherlock de batina tenha uma resposta e uma solução para tudo isso, não vejo outro jeito de fazê-los parar.

— Também vejo o extermínio dos embriões como uma saída radical, detetive, mas concordo que o tempo urge. Essas crianças estão perdidas. Não podemos ficar dando chance a novos assassinatos.

— Elas estão matando quem merece. Só atacam quem merece.

— Eu não mereço estar aqui, Lizete. Nunca fui um espancador de menores...

— Elas acreditam estar fazendo justiça. Você chegou perto de onde estão seus corpos materiais, seu vínculo com a terra, com nossa dimensão. Devido à reação radical que tiveram a um humano se aproximar dos tambores de conservação, acho que ficaram com medo de serem mortos.

— Eles se materializaram aos montes, padre. Não sei como não morri. Espero que o Wilsão esteja melhor que eu. Outra dessas eu não quero passar, ainda mais agora que sou um alvo para eles... Segundo o seu filho, Lizete, eu já estava marcado antes, imagina agora! Temos que dar um jeito naqueles embriões. Eu tô na mira daquelas criaturas... se uma não é fácil, posso garantir que um monte é pior ainda... tive muita sorte de escapar.

— Esses seres são complexos demais para elaborarmos uma idéia. Nunca vi nada igual no mundo dos espíritos. Nada tão poderoso e complexo. Não são vultos na casa, nem mortos aparecendo em sonhos tentando passar uma mensagem. Isso é materialização. Estão vivos... vivos no gelo. Já estudei anjos, já estudei vampiros... nunca fantasmas assassinos, nunca.

— Eles não vão mais deixar a gente entrar naquela casa, padre. Arrancar aqueles embriões de dentro dos tambores não vai ser nada fácil.

Lizete começou a chorar. Enxugou as lágrimas que escorriam pelo rosto.

— São só crianças. Você mesmo viu, Tânio... só estão querendo aprender a viver com os pais.

— Você só viu uma face dessas crianças, Lizete. Talvez você veja a outra personalidade delas, e tomara que não esteja voltada contra você.

Tânio sentou-se, reclamando de dor.

— Preciso ir embora. Tenho que ver o Wilsão, precisamos pôr gente vigiando aquele lugar. Já tinha até esquecido que a fechadura tinha sido arrombada.

— Já tem gente lá, Tânio. Você precisa descansar. — orientou o padre.

Alguém bateu à porta.

Lizete adiantou-se.

Era uma moça nova, mas com expressão sofrida, andava um pouco encurvada, como se restabelecesse de uma cirurgia recente.

A menina olhou para dentro do quarto e ao ver o padre, ficou hesitante.

— Desculpe, moço... eu não sabia que você estava com visitas, eu volto mais tarde.

Olharam rápido para Tânio, como esperando uma resposta.

Ela começava a se afastar da porta, quando Lizete segurou-a pelo pulso. Pediu que entrasse.

— Não se preocupe, menina. Você conhece ele?

— Não... mas as enfermeiras me disseram que ele também foi atacado por aquelas crianças.

— Você também foi atacada? — perguntou o padre, se aproximando.

— Não, padre... eu fui ajudada. Uns homens queriam... queriam me matar... me estuprar... — disse a moça, num misto de tristeza e vergonha.

— Tá vendo? Essas crianças também fazem coisas boas. — disse Lizete, dirigindo-se para o detetive.

— Você é a menina, a grávida, não é? — perguntou Tânio, colocando-se de pé, mantendo o tórax encurvado devido às dores que o incomodavam.

A menina balançou a cabeça.

— Cadê seu bebê?

— Tá melhorando. Acho que amanhã a gente tem alta... o médico...

— Mas você não estava no Helena Maria? — quis saber o detetive.

— Estava, mas uma mulher pagou para eu ficar aqui. Bendita seja. Não tô reclamando da prefeitura, mas aqui é bem melhor... a comida é mais gostosa... parece um hotel.

— Como você se chama?

— Ana.

— Meu nome é Tânio, sou detetive... estou investigando essas "coisas".

— Então você também viu?

— Sei o que você tá pensando. Sim, eu vi, o padre viu, ela viu.

A menina levou as mãos aos olhos.

Lizete conduziu-a até a poltrona do quarto.

— Pensei que tava ficando doida. Até perdi o emprego na padaria por causa dessa história de fantasma.

— Perdeu o emprego?! Você está grávida! — indignou-se o padre.

— Mas não tô mais... — balbuciou a menina, enxugando as lágrimas com as costas das mãos.

— Você tem direitos. São quatro meses de licença pós-parto. E eles têm que pagar direitinho. — orientou Lizete.

— Ah, moça... disso eu não entendo nada, vivo ouvindo falar de direito, mas ver que é bom, eu nunca vejo... E agora? Que vou fazer com meu filho? Meu menino... é tão pequenininho.

Lizete estendeu um cartão.

— Me liga daqui a uma semana, eu vou arrumar uma amiga minha para te ajudar, pode contar.

Ana abriu um sorriso largo. Afinal, alguma esperança.

— Por que você veio ao meu quarto?

— Era isso. Só queria saber se alguém mais tinha visto aquelas criancinhas. Deus as abençoe. Não fosse a ajuda delas, eu e meu filho estaríamos mortos.

— Eu vi, mas ao contrário de você, não gostei. — disse Tânio. — Mas se te consola, elas existem, existem bem existido. Quer um conselho? Apesar de terem te ajudado, tome muito, mas muito cuidado se você se deparar com essas crianças de novo.

Ana ficou calada.

Tânio vasculhou o armário do quarto, encontrou uma sacola plástica e, dentro dela, suas roupas. Estava doido para livrar-se daquela camisola esverdeada que deixava sua bunda à mostra e grátis para quem quisesse ver. Entrou no banheiro e trocou-se. Quando saiu, Ana já tinha deixado o quarto.

— Acho melhor você não ficar andando por aí. — advertiu Lizete. — Você está bastante machucado.

— Tá doendo mais o meu orgulho. Ser espancado por um bando de crianças... onde já se viu isso?

— Não tem graça, Tânio. Quer que eu traga alguma coisa para você comer?

— Até que não é má idéia, Lizete. Fiquei com vontade de experimentar um daqueles sanduichões do "Tchê's". Se você sair pra comprar alguma coisa, taí uma boa pedida... Quer saber? Por que não saímos os três para jantar?

— Você tá louco, rapaz? Espera tua alta médica. Você ainda tá com o rosto inchado... não tá doendo, não?

— Tá, padre... tá. Tá doendo tudo... se eu parar para prestar atenção em cada pontada que eu sinto, acabo pirado. Prefiro ignorar a dor... vamos sair...

— Você não vai a lugar nenhum. Fique aqui, descanse, aposto que amanhã cedo você pode sair mais tranqüilo... não quero ser responsabilizada por nenhum acidente de trabalho.

Tânio riu. Era melhor não bobear. Já que estava ali de favor, não ia fazer uma desfeita com o Rogério. A época não estava boa para despesas extras.

Os dois saíram, deixando o detetive. Tânio deitou-se. Levou a mão ao bolso esquerdo da calça. Um papel. Deus! Tinha esquecido o encontro com a estranha mulher que o visitara pela manhã. Ali no papel estava o endereço de Mikaela. Dobrou-o e deixou ao seu lado na cama. Quando

Lizete voltasse, iria pedir o celular emprestado, afinal não encontrou o seu dentre os pertences na sacola plástica.

A porta abriu-se. Um carrinho com remédios apontou para dentro, seguido por um enfermeiro alto e encorpado. Tânio olhou-o interrogativo.

— Está melhor, Esperança?

— É. Parece.

— Sente na cama, por favor. Tenho que ministrar a medicação.

— Ministrar a medicação... isso não me soou agradável. Você tem injeções aí?

— Ah! Ah! Ah! Quer dizer que o caçador de fantasmas tem medo de agulhas! — riu o enfermeiro, já apanhando uma tripa de mico e se aproximando do paciente.

— Que porcaria é essa que você vai me dar?

— Uma injeção. — disse erguendo a seringa e fazendo expelir um pouco do líquido pela ponta da agulha.

— Sei, engraçado. Que tipo de inje... argh! — gemeu o detetive ao sentir a agulha penetrando a carne.

— Do tipo B.O.

Tânio sentiu o líquido invadir e queimar suas veias.

— B.O.? O que é uma injeção B.O.?

— É uma Boa para Otário.

A visão escureceu, e o quarto começou a girar.

— Por que... — murmurou tentando se levantar, mas caindo no chão, em frente ao enfermeiro.

O enfermeiro o amparou apenas para que não fizesse barulho ao bater no assoalho e então respondeu à última pergunta do detetive:

— Por quê? Porque você é um otário, detetive Tânio Esperança.

* * *

Quando Lizete e o padre retornaram ao quarto se surpreenderam. Estava completamente deserto, a cama arrumada, sem vestígio do detetive e suas coisas.

— Será que ele foi embora? Nem esperou o sanduíche. — reclamou a mulher.

— Não sei... está muito estranho.

— Espere aqui, padre, vou ver a enfermeira.

Cantor entrou e pôs-se a examinar o quarto. Realmente não havia nada dentro do armário, tampouco no diminuto banheiro. Abaixou-se junto à cama, e nada. Embaixo da poltrona, porém, havia algo. Um pedaço de papel com um endereço anotado. Provavelmente por uma mulher. Cantor voltou a dobrá-lo e colocou-o no bolso de sua calça preta. Se precisassem procurar o detetive, talvez aquilo fosse uma pista.

Lizete voltou aflita.

— A enfermeira disse que ele foi transferido.

— Como? Por quê?

— Disse que ele teve uma piora de estado...

— Que besteira! Estão querendo enganar a quem? Chame já a polícia. Ele estava ótimo quando saímos. Deixamos ele só uns quarenta minutos. Use seu telefone, chame os amigos dele. Eu vou falar com a gente deste hospital.

Lizete sentou-se na poltrona e enterrou a cabeça entre os joelhos. O que estava acontecendo com o amigo? Até que ponto aquela confusão toda era responsabilidade dela? Mal sabia a mulher que em poucas horas tudo estaria esclarecido.

# Capítulo 13

Um gosto amargo na boca seca. Água... queria água. Tentou mover-se. O corpo doía ainda mais; espasmos musculares vinham acompanhados de câibras prolongadas. Um grito involuntário escapou de sua garganta. Oh, Deus! As mãos estavam amarradas às costas, estava preso a uma cadeira desconfortável. Escuridão. Onde estava? Cadê o enfermeiro? Puta merda. Os pés estavam amarrados também. Uma câibra forte na batata da perna o estava deixando louco. Sede... água. Outro grito, agora de desespero. Que merda era aquela? — Ah-ah! Já acordou, detetive Esperança?

A voz metálica ribombou em seus ouvidos.

— Quem é você? Acenda a luz!

— Ah! Ah! Ah!

— Me solte, seu filho da puta.

— Aaaah... detetive... isso é jeito de falar com uma dama? Tsc, tsc, tsc. É um detetive de terceira mesmo!

— Sua vaca! Apareça!

— Um minuto, detetive... está quase tudo pronto... um minuto, por favor.

O cômodo escuro voltou ao silêncio mórbido, quebrado apenas pela respiração entrecortada e queixosa do detetive. Tânio girava a cabeça para onde podia. Não conseguia visar nada... exceto aquilo... aquele estranho brilho... ó Deus... ele conhecia aquele brilho! Duas esferas vermelhas como brasas pairavam no ar, quase as suas costas, a três metros de distância. Tânio não conseguia manter a cabeça naquela posição desconfortável por muito tempo, tendo que voltar a olhar para a frente e descansar os músculos do pescoço por alguns segundos. Sabia o que eram aquelas brasas. Era um deles. Um fantasma.

— Tânio.

A voz penetrou em seu ouvido. Não era a voz metálica. Vinha dali, atrás dele. Era a criatura.

O par de olhos vermelhos passou para sua frente, como brasas flutuantes, pairando no ar. Estava mais fácil de encará-los agora.

— Ah, Tânio. Se você soubesse... — murmurou a voz infantil.

— O que você quer, Gasparzinho?

— Continua engraçado, não é?

— Olha, garoto... tive um dia péssimo. Não quero brincar mais de "caça-fantasmas". O que vocês querem comigo?

— É você que quer, detetive Esperança. Foi você quem pediu. "Eu quero entender"... Ah! Ah! Ah! — chacoteou a criatura, esganiçando a voz de modo infantil.

Tânio gemeu. A cãibra voltou.

— Estou vendo a sua aura, detetive. Aposto que está sentindo um bocado de dor. Não é como um mundo de mortais que reclama sem estar verdadeiramente doente. Ao menos nisso você está sendo sincero.

— O que quer de mim?

— Quero a sua morte! — vociferou o pequeno ser.

Quando a criatura gritou, Tânio teve a impressão de ver os contornos do fantasma acenderem-se brevemente.

— Ah, detetive... se você sonhasse o que acontece deste lado! Acho que vocês nunca teriam certeza se existia um "lado b" não fossem nossas recentes intervenções.

— Assassinos... — balbuciou Tânio.

— Não! — gritou a criatura. — Não somos assassinos! Só morre quem merece.

— Eu não mereço...

O pequeno fantasma explodiu numa gargalhada assustadora.

— Não merece?! Sim, detetive, você merece! MERECE!!!

Tânio recebeu um bofetão que fez seu corpo pender e a cadeira ir ao chão, deixando-o com o rosto colado ao assoalho. Dores múltiplas explodiram, relembrando o espancamento recebido durante o dia.

— Você, Tânio. Se acha acima do mal? Você merece morrer. Ah, detetive. O destino é algo engraçado. Para seu azar, vim parar aqui. Com o modo cruel que vocês inventaram para suas mulheres engravidarem... criaram monstros. Não somos monstros! Estamos presos! Eu... diferente dos demais, Tânio, convivo com outro tormento.

O fantasma calou-se. Tânio sentiu a cadeira voltar a ficar de pé. Estava zonzo. Os olhos chamejantes do fantasma bailavam a sua frente.

— Eu lembro, Tânio! Eu LEMBRO!!! vociferou a criatura.

— Lembra do quê?

— Lembro da minha última vida... — balbuciou a voz infantil, baixinho, choramingante.

— V-você... você já viveu? Que-quero dizer, antes, você já teve outra vida?

— Estou falando o que, detetive? Inglês? Sim, eu tive outra vida! E você, detetive, você tirou minha vida! É por isso que eu vou te matar!

Tânio sentiu os pêlos arrepiarem. Um frio tétrico tomou conta da sala. Quem era aquele fantasma? Ou melhor, quem foi?

— Lá, não somos criaturas de ódio puro como nos tornamos. Lá, somos limpos. Voltamos a nosso estado principal. Cada vida é um rascunho, um plano para nos tornarmos parte do ser principal, do ser purificado. A vida na Terra é uma provação. Viver bem e feliz aqui, sem prejudicar o próximo, fazer fluir o verdadeiro amor pelas criaturas e pela vida é parte da meta. Aqui é o solo do desenvolvimento. Viemos para isso! Não para vivermos no nada. Almas desenvolvem-se, mas aqui, no solo, precisamos do corpo, sem o corpo, de nada adianta nossa vinda. O corpo, Tânio, não é nada lá, mas aqui... é tudo, é nossa ferramenta! Vocês tiraram isso de nós. Enlouquecemos, não estamos nem aqui, nem lá, até quando?! Precisamos encarnar, Tânio. Precisamos da carne! Não bastasse esse suplício, eu lembrei da minha última vida! Você... você me matou!

— Eu não matei ninguém!

— Matou! Já Perdeu!

Tânio imobilizou-se. Já perdeu... já perdeu. Oh, não! Não ele. Ele não. Deus do céu!

— Vocês não me deram paz! Sabe o que acontece com os suicidas, seu filho da puta! Sabe?! Demoramos uma eternidade, Tânio. Uma eternidade para sermos recuperados. Recuperarmos o sentido da vida! Como um suicida pode fazer parte do ser principal? Como!? Não há como, Tânio, não há.

Silêncio.

— Já Perdeu... — murmurou o detetive. — ...eu lamento...

— Lamenta! Sua hora vai chegar, Tânio. Tudo o que faz está escrito e nunca, Tânio, nunca será esquecido. Eu sei! Eu sei! Tudo o que você faz, todos os dias, do acordar ao adormecer... coisas ruins são coisas ruins; coisas boas são coisas boas. Eu vou antecipar sua hora, detetive Esperança.

Deus! Aquilo não poderia estar acontecendo. Já Perdeu. O garoto fora um vizinho na infância de Tânio. A turma jogava bola nos terrenos baldios do Rochdale. Todos os meninos se davam bem, mas tinham uma brincadeira predileta. Atazanar o Simão. Coitado do Simão. Inventavam musiquinhas cruéis. Faziam piadas horrorosas. Coitado do Simão. O pobre havia nascido com deformidades. Não tinha as mãos. Os braços terminavam em dois cotocos. Não bastasse o sofrimento interno do garoto, o sofrimento do dia-a-dia, tinha de enfrentar o pior dos castigos: a perversidade infantil. Como eles, tão meninos, tinham a capacidade de ser tão cruéis? Como? Chamavam-no de vários apelidos, chamavam-no para tocar violão para a turma. Infernizavam o pequeno Simão. Na adolescência, começaram a chamá-lo por um novo apelido, talvez o pior deles. Simão passou a ser conhecido por todos como o Já Perdeu. "E aí, Simão! Como é que você descabela o palhaço? E aí, Simão! Não vai tirar um cinco-contra-um que você sai perdendo! Ah! Ah! Ah!"

Tânio apertou os olhos.

— Sua aura mudou, detetive? Que coloração é essa... não encontro a palavra... acho que é "remorso". Sim... essa coloração só pode ser causada pelo remorso... — balbuciava o fantasma ao seu ouvido.

Um dia, o valente Simão — sim, valente, para ter suportado por tanto tempo, Tânio chegou à conclusão de que aquela criança tinha sido um valente a vida inteira. Um dia, Simão foi encontrado morto. Havia aberto o registro do gás, embebido um pano de prato em éter e desmaiado. O resto é fácil deduzir.

Tânio martirizara-se anos a fio por causa do desfecho de suas brincadeiras juvenis. Acordava assustado à noite. Queria brincar com o Simão. Queria refazer as coisas. Era doido para que a vida, de alguma forma mágica, possuísse um botão de "volta-apaga". Culpava-se e culpou-se até esquecer. Eventualmente aquilo vinha a sua cabeça, sem tanta força, mas sempre com uma ponta amarga. O suicídio do Já Perdeu. Foi ao enterro. Antes não tivesse ido. Nunca esqueceu o choro da mãe de Simão nem o olhar pesado com o qual a mulher o encarava. Os olhos diziam: culpado. Uma lágrima desceu pelo rosto de Tânio Esperança... o Já Perdeu morreu.

— Eu lamento. Esse encontro vai servir para uma coisa ao menos... não importa o que me aconteça... não importa qual será o preço para pagar esse erro, mas... eu quero pedir desculpas...

Tânio esperou gritos raivosos, mas eles não vieram. O detetive chorava.

— Me desculpe, Simão. Não era aquilo que eu queria! Oh, céus!

O choro tornou-se um pranto. Um pranto de homem, um pranto infantil. Soluços tomaram a sala.

— Eu juro... me descu-desculpe. Ah... aquelas brincadeiras! Por que ninguém matou a gente? Não era você que tinha que sofrer. Não! Era a gente! Você já sofria tanto. Nos desculpe, Simão.

Tânio girou a cabeça tentando localizar os olhos da criatura. Não conseguiu. Continuou chorando. Minutos se passaram. Talvez a fúria da criatura tivesse amainado. Talvez Simão houvesse compreendido que não fora por mal, fora criancice. Talvez Simão finalmente o houvesse perdoado e dado paz ao seu coração. Mas as narinas do detetive acabavam de dizer que não. Simão não havia perdoado.

Gás. Um cheiro forte de gás entrava em seu nariz.

Tânio chacoalhou-se, puxando os braços fortemente. Que a dor fosse à merda. Tinha que sair daquela sala. Simão não estava mais ali. Não tinha a menor idéia de quanto tempo leva para se intoxicar com gás de cozinha. Precisava lutar rápido enquanto tinha forças, enquanto estava consciente.

Um som estranho invadiu a sala. Um chiado.

A cadeira tombou, levando o detetive mais uma vez ao chão.

— Que coisa feia, detetive. — disse a voz metálica. — Está tão pálido! O que foi? Viu um fantasma?

Tânio continuava puxando o braço, sentia a mão escorregar aos poucos, vencendo lentamente o aperto dado por algum tipo de fita adesiva, *silvertape* provavelmente.

Ergueu os olhos à procura da voz. Uma luminosidade no canto direito da sala chamou a atenção. Era uma tevê pendurada na parede. O cheiro de gás estava cada vez mais forte, mais sufocante. O detetive tossiu.

— Mandei te buscar no hospital. Tive um pressentimento de que não cumpriria seu compromisso.

Tânio voltou a cabeça para a tevê. Uma mulher estava estampada na tela. Uma mulher vestida de preto. A mesma que o visitara pela manhã, marcando um encontro para aquela noite.

— Antes de morrer intoxicado, quero que assista uma coisa. A resposta para suas dúvidas. Por que os fantasmas estão matando? O que vai acontecer daqui para a frente? Eu vivi muito tempo tentando ter um filho, sem obter sucesso. Eu trabalhava na clínica de inseminação artificial... nunca tive filhos, não queria nenhum. Um dia, comecei a ver fantasmas no meu trabalho, detetive. Como você, fiquei bastante assustada. Conheci um em especial. O seu amiguinho. O Simão. Depois de acostumada a aparições, fiquei horrorizada com a estória que ele me contou e prometi ajudá-lo a se vingar, detetive. Nada mais justo. Olho por olho, dente por dente. Eles estavam presos, detetive, presos em corpos de gelo, corpos imutáveis, que não os ajudariam na aprimoração terrena. Sua existência seria desperdiçada. Cada dia, mais e mais crianças despertavam do sono gelado, detetive. Despertavam endurecidas. Algumas, como seu amigo Simão, lembravam-se de suas últimas vidas. E, acredite, não haviam sido vidas muito boas. A maioria havia sido molestada sexualmente por adultos estúpidos, detetive. Haviam sido molestadas psicologicamente por amigos cruéis. Essas almas perturbadas tornaram-se incontroláveis, queriam reparação. Existe um time muito pior... as sombras, as sombras de crianças que seriam, mas não foram... As sombras dos abortados, detetive. Você já obrigou alguma namorada sua a fazer um aborto, detetive? Conhece alguma mulher que já abortou por livre e espontânea vontade? Sem se preocupar com a alma que habitava o pequeno recipiente, que germinava em seu útero? Pode apostar, detetive, se essas almas estão aqui... e se são sementes no gelo... se tiverem uma vaga idéia do que lhes aconteceu na última "quase vida", pode apostar, detetive Esperança, essas mulheres e homens vão se arrepender amargamente. Essas almas querem reparação... estão cansadas do exílio e, principalmente, da injustiça. Estão cansadas dos estupradores, dos aproveitadores de crianças. Estão vindo dar o troco e, aquelas que se lembrarem quem foram seus executores, seus molestadores, essas pobres e perturbadas almas querem dar o troco, com justos juros estratosféricos... Pode apostar.

A voz fez uma pausa.

Tânio conseguiu livrar uma mão, deixando tudo mais fácil. Lutava contra a fita nos pés quando a voz continuou.

— Agora é hora de protegê-las, detetive. Proteger todos esses seres. Essas almas precisam de mães. Precisam de recipientes para uni-las à carne e trazê-las ao mundo. Querem cumprir sua missão, querem melhorar.

Tânio olhou para a tevê. A tela mostrava uma sala onde uma mulher nua estava deitada, cercada por homens parecidos com médicos. Deus! Estavam fertilizando-a com um dos embriões!

O detetive conseguiu se livrar da cadeira e estava de pé. Cambaleou até a parede e passou a procurar por uma saída. Encontrou um interruptor. A luz ajudaria a localizar a porta. Seus dedos tocaram o interruptor, mas vacilaram. A faísca. Ela poderia fazer o gás inflamar-se. Desistiu e voltou a procurar a porta. Estava trancada. Deu ombradas contra ela, que parecia de ferro maciço.

— Elas virão ao mundo, detetive. Virão ao mundo protegidas por mães que as merecem. Isso era tudo o que precisava saber antes de partir, detetive. Eu queria ficar para assistir, mas odeio ver homens morrendo.

A tevê desligou-se.

Tânio chutou a porta mais uma vez. A respiração ofegante envenenava os pulmões com maior rapidez. Escorou-se à porta e escorregou, indo ao chão. Quis se levantar, mas as pernas não obedeceram. Arfou, levando as mãos à garganta, caiu para trás, batendo a cabeça no assoalho. Agonia. Tânio fechou os olhos.

— Me desculpe... — murmurou.

# Capítulo 14

Os carros entraram a toda velocidade na avenida. As sirenes ligadas indicavam nitidamente que aquilo não era nenhuma brincadeira. Carros de passeio davam passagem subindo nas calçadas, pedestres ficavam estáticos até os carros ganharem distância. Algo de muito sério estava acontecendo nas ruas de Osasco. Quando chegaram ao Jardim Roberto, rumaram para a avenida José Barbosa de Siqueira até a rua mencionada no bilhete encontrado no hospital pelo padre Alberto Cantor. Não tinham certeza sequer de que fora deixado por Tânio Esperança, talvez o bilhete estivesse caído lá há dias. Mas aquele pedacinho precioso de papel era tudo o que tinham. Desceram a rua até o número oitenta e seis. Era uma casa comum, nada de assombrado aparentemente. Wílson foi o primeiro a chegar ao portão. Mancava devido a um músculo seriamente ferido. Poderia ficar sem a perna, mas por nada neste mundo deixaria o amigo abandonado. Estava perdendo o jogo, sim, estava, mas não iria jogar a toalha antes do gongo final. Grossas correntes selavam os portões. Chamou um dos homens da viatura do GARRA. O policial trouxe uma espingarda calibre doze. Não era hora para sutilezas. Um disparo certeiro destruiu o cadeado, permitindo que os policiais invadissem a casa rapidamente, enquanto alguns mantinham afastados os curiosos que, apesar da hora avançada, começavam a ajuntar. Lizete ficou de fora, acompanhada do padre, enquanto Rogério, que havia se ajuntado ao grupo, também entrou na casa.

Wílson percorreu um corredor anexo à sala de entrada. Tudo vazio. Tinham se enganado. O endereço talvez fosse só para despistar. Entrou em um quarto apertado e escuro. Levou a mão ao interruptor. Um forte cheiro de gás chegou às narinas. Um alarme interno disparou em sua cabeça.

— Não acendam as luzes! Tem gás vazando.

No fundo do quarto encontrou uma porta metálica.

— Está trancada. Aríete.

Quatro policiais aproximaram-se agarrados a um pesado cilindro de ferro. Um outro tirou a camisa e cobriu a ponta do aríete. Golpearam a porta ininterruptamente até a tranca ceder. O cheiro de gás tornou-se insuportável. Márcio e o delegado entraram. O primeiro tropeçou em um corpo inconsciente. Arrastaram-no para fora. Era Tânio Esperança.

— Cof.. cof.. cof. Deus... que cheiro... ele está morto. — disse Márcio.

Abandonaram a casa, arrastando o corpo do detetive para fora.

Rogério debruçou-se sobre o detetive. Pousou o ouvido no peito de Tânio. O corpo estava quente, mas não detectava o som do coração nem mesmo o pulso. Estava morto.

Tânio olhava incrédulo para seu próprio corpo estendido no chão. O céu, apesar de ser noite avançada, possuía um brilho luminoso. Via pontos de luz cruzando as nuvens altas. Havia deixado o corpo instantes antes dos policiais arrombarem a porta. Tinha lutado durante minutos eternos até perder a consciência. Então aquilo. Podia ver-se deitado, inerte, no chão, sem nada poder fazer. Ainda estava tomado pelo espanto quando ouviu o barulho dos homens chegando. Agora estava ali.

Uma esfera de luz queimou o céu logo acima de sua cabeça, vindo veloz em sua direção. Ainda no ar, três metros antes de tocar o solo, a esfera luminosa tomou formas humanas e, quando tocou o chão, Tânio pôde observar aquele ser em sua plenitude. Era um anjo. Um homem alto. Com pele cor de bronze e olhos chamejantes. O ser luminoso não abriu a boca, apenas encarava-o placidamente. Um instante depois, virou-se para o corpo estendido no chão. Voltou-se para o espectro do homem morto.

— É chegada a hora? — perguntou a criatura.

Tânio estava sem palavras.

— Quer partir?

Tânio meneou a cabeça.

Lizete entrou chorando e agarrou seu corpo inerte.

— Está envolvido com os pequenos, não é? Ainda tem coisas a realizar.

Tânio meneou a cabeça positivamente.

O anjo debruçou-se sobre Rogério e soprou-lhe ao ouvido.

— Não deixe morrer.

Rogério levou as mãos ao cabelo. Repentinamente um sopro tomou seu ouvido, e um arrepio desconfortável percorreu-lhe o corpo. Olhou para Tânio. Fez Lizete afastar-se. Golpeou o peito do rapaz, esmurrando-o seguidamente, depois, pela boca, soprou ar para dentro dos pulmões. Voltou a massagear o peito de Tânio e bombear ar para seu corpo. Alguém chamava uma ambulância pelo rádio enquanto o padre se acercava da cena. Após insistente trabalho, o corpo deu sinal de reação. As mãos tremelicaram e, por fim, Tânio irrompeu em uma tosse convulsiva. Todos vibraram.

Policiais vieram do fundo da casa. Tinham detectado e cessado a passagem de gás para o cômodo onde encontraram o detetive.

Wílson esperou que a perigosa nuvem de gás dispersasse para entrar na casa em busca de pistas que o mantivessem no jogo, dando seguimento à perseguição dos raptores do amigo. Usaram lanternas durante dez minutos, até terem certeza de que a casa estava ventilada para poderem acender as luzes.

A ambulância tardou a chegar. Tânio, miraculosamente, estava se restabelecendo. Permanecia deitado, com a cabeça recostada nas pernas de Lizete, que afagava seus cabelos. O detetive balbuciou coisas desconexas sobre luzes, sobre morte. Passados alguns minutos, começou a reconhecer as pessoas em volta. Tossia insistentemente, com a respiração difícil e longa, aparentemente ainda impregnado pelo gás. Mas o importante era que Tânio Esperança estava vivo e quase pronto para outra.

# Capítulo 15

Naquela mesma noite, perto das duas horas da madrugada, os policiais terminaram as buscas de pistas dentro da casa. A única coisa diferente não os conduzia a lugar nenhum: era o equipamento de recepção do circuito fechado de TV, antenas, cabos, monitores, tudo aquilo podia ser comprado em qualquer boa loja de material eletrônico. Wílson estava desanimado, o corpo dolorido dificultava os ânimos. Para piorar, enquanto estava no hospital, do qual escapou sem receber alta, ocorrera um incidente complicador na Vila Campesina. Os tambores que mantinham os embriões congelados haviam sido roubados. Alguns policiais foram mortos e outros seriamente feridos. Os investigadores não encontraram nada que pudesse conduzi-los ao paradeiro dos criminosos e à elucidação do caso mais bizarro que adentrara uma delegacia de Osasco. Sua única esperança era o amigo detetive; esperto, treinado, havia de ter detectado algo que os colocasse no jogo novamente. Para sua surpresa, quando chegou à garagem da casa, Tânio estava sentado e falando, lúcido o suficiente para responder a perguntas. O delegado foi direto ao ponto, pedindo que descrevesse tudo.

Tânio contou desde a injeção até a hora em que sentira o cheiro de gás pela primeira vez. Omitiu os detalhes do encontro com o fantasma Simão, pois ainda estava assimilando o acontecido. Passou a descrever a estranha mulher na TV. Todos ouviam atentos, inclusive o padre e o doutor Rogério. A história era fantástica. Tânio contou o que lembrava sobre o tormento das almas presas nos embriões congelados, sem poderem encarnar, aprisionadas numa espécie de limbo. Descreveu a cena em que assistira a uma mulher nua receber no corpo um daqueles embriões. Depois contou sobre o tormento de sufocar em meio àquele gás todo. Lembrava-se apenas de ter acordado lá fora, rodeado por todo mundo.

— Pensei que ia morrer... — balbuciou.

Rogério, que estava próximo, comentou:

— Mas você morreu, meu chapa. Sorte sua ter um médico aqui. Você é valente, lutou até conseguir fazer esse coração solitário pegar no tranco! Ah! Ah! Ah!

Todos acompanharam o médico na gargalhada.

— Estamos sem pistas, então. — reclamou o delegado.

Ficaram em silêncio. Os policiais começavam a se dispersar, aguardando dentro das viaturas a ordem para partir, quando Rogério surpreendeu a todos.

— Esperem! Acho que temos algo.

O delegado Wílson aproximou-se incrédulo. O que aquele médico almofadinha poderia ter percebido que nenhum dos profissionais de investigação não teria?

— Tenho um colega de trabalho lá da clínica, um instrumentador... — Rogério falava pausado, como se estivesse fazendo conexões cuidadosamente. — Espera. Ele disse... disse que tinha começado a fazer um bico. Um extra. Era um pessoal esquisito... pensou que era uma clínica clandestina, porque o lugar de trabalho era num lugar estranho, abandonado... mas aí se convenceu a ficar porque disseram que eram do governo, um projeto... isso, um projeto experimental... sei lá... pode ser alguma coisa. Nem dei bola para o que ele disse, foi antes dessa história esquentar. Nem lembrei.

— Lembra do lugar, porra! — esbravejou Wílson. — Sem o lugar, não adianta nada lembrar.

— Não... ele não me disse onde era... disse que era um lugar esquisito para se trabalhar, um lugar impróprio para uma clínica com aquele equipamento.

— Quantos lugares abandonados temos em Osasco? — perguntou Maurício.

— Dezenas, centenas... nunca vamos pegá-los a tempo. — reclamou Tânio.

— Assim não dá.

— E você, padre? O Wílson me disse que era um especialista; mas até agora não ajudou em nada. — disse Tânio.

— Vamos lá, padre. Mostre algum serviço.

Alberto, que estava ajoelhado próximo ao detetive, levantou-se.

— Vim com essa intenção, mas essas criaturas são diferentes de tudo o que vi...

— Isso não ajuda muito.

— Calma, Tânio. Deixa o padre falar. — pediu Lizete.

— Como disse antes, nunca vi fantasmas matando pessoas, a não ser de susto, o que não é o caso.

O padre passou a mão pelo rosto.

— Já estudei tantos fenômenos...

— Então aprendeu alguma coisa para contribuir. Precisamos de pistas, qualquer coisa para combatê-los. — insistiu o delegado.

— Para combatê-los? Se encontrá-los... em alguns casos você precisa cativá-los. Dar algo que eles buscam. Para espantá-los precisa saber o que eles temem... todo fantasma teme alguma coisa.

— O quê? — perguntou o detetive.

— Não sei. Tem que descobrir. Em geral, cada um teme uma coisa... muitas vezes uma coisa ligada com a causa de sua morte. Quem morreu afogado não vai te perseguir para dentro de uma piscina. Quem morreu num acidente de trânsito, vai ter medo de carro, e por aí vai. E tem um problema...

— Qual? — quis saber o delegado.

— Pelo que vocês falam... ao que parece eles nem nasceram... quanto mais morreram... Vão ter medo de quê?

— É, isso não vai ajudar em nada para encontrá-los... — reclamou Wilsão.

— Peraí... — balbuciou Rogério, novamente chamando a atenção. — Talvez ... não ...

— Desembucha, homem! — enervou-se o delegado Wílson, agarrando o médico pelo ombro.

— Eu sei onde esse amigo mora. Porra! Como não pensei nisso antes? Talvez... alguém na casa dele pode saber onde é a clínica estranha.

— Todo mundo pros carros! Sigam minha viatura. Já que a porra da ambulância não chegou, Tânio e Rogério, vêm comigo.

Os carros dispararam novamente, devolvendo a tranqüilidade às ruas do Jardim Roberto. Passaram pelo cemitério do Santo Antônio e logo estavam descendo a avenida Internacional em disparada. Frearam diante da padaria Torres, mas o médico se enganara, o amigo morava uma rua para cima. Entraram na rua da padaria para rodear o quarteirão. Alguns moradores saíram nas sacadas, curiosos com a confusão de sirenes e carros de polícia àquela hora da madrugada. Subiram uma quadra pela rua Monte Negro e, em menos de um minuto, pararam em frente de uma casa de portão baixo. Não era hora para educação. O policial ao volante buzinou insistentemente, enquanto Rogério descia e tocava a campainha seguidas vezes.

Uma mulher embrulhada em uma camisola de flanela veio atendê-los, visivelmente assustada.

— Oi, dona. Eu sou amigo do Danilo, lá da clínica...

— Ai, meu Deus! O que aconteceu com meu filho? — a mulher desceu uma escada curta, começando a chorar. — O que aconteceu, doutor? Pode falar... cadê ele?! Cadê meu filho?!!

Um rapaz apareceu na janela da sala.

— Não aconteceu nada com ele, dona. É por isso que estamos aqui.

— Ai, Senhor! Não tô entendendo nada.

— Que porra é essa?! — esbravejou um senhor chegando à janela, provavelmente o pai de Danilo.

— Precisamos encontrar seu filho. Ele tá com gente perigosa. Precisamos encontrá-lo agora. Sabe onde ele está?

— Está trabalhando. Ligaram para ele hoje à tarde e ele foi pra lá, pra aquele negócio de projeto sei-lá-o-quê. Ai, meu filho...

— Onde fica?

— É em Altino.

— Presidente Altino?

— Não sei, não sei! — a mulher encobriu o rosto com a mão, voltando a chorar descontrolada.

— Eu sei! — gritou o rapazinho na janela.

O velho deu-lhe um cascudo, fazendo-o voltar para dentro.

Um policial voou para dentro da casa, trazendo o rapaz para a garagem.

— Eu sei onde é. É naqueles prédios abandonados. Sabe o viaduto que cruza por cima da linha do trem... lá no centro? Perto do viaduto novo. Pega a marginalzinha, a Visconde de Nova Granada, e segue para Presidente Altino, pois é, vai passar por eles.

Um estalo deu-se na cabeça do delegado. É claro, porra! Sabia onde ficava. Quase deu um beijo no moleque. Um lugar perfeito para um amontoado de ratos esconderem o rabo.

— Vamos! — gritou Wílson.

Entraram nas viaturas e ligaram as sirenes, partindo em alta velocidade, fazendo os pneus marcarem o asfalto nas arrancadas.

— Salvem o meu irmão! — gritou o menino, com as mãos em concha em torno da boca.

A rua voltaria ao silêncio não fosse o pranto insistente da mãe de Danilo, de joelhos, em frente da casa.

As viaturas cruzaram Osasco, chegando em poucos minutos aos prédios abandonados. Tinham feito uma única parada. Ao encontrarem o "ninho", como passaram a chamar os tanques que conservavam os embriões congelados, teriam de destruí-lo. Wílson estacionou num posto e comprou gasolina. Encheram alguns galões pequenos e duas garrafas de refrigerantes. Partiram novamente, em alta velocidade, com o delegado completando e repassando as instruções pelo rádio. Aquele caso era o mais diferente que os policiais da delegacia central já haviam presenciado. Não poderiam errar, tinham de ser perfeitos. Ao chegar, puderam notar que algo de estranho acontecia. Havia carros estacionados embaixo dos prédios, e não eram carros velhos e imprestáveis, usados como moradia de vagabundos, eram carros novos, importados, de gente rica, com dinheiro suficiente para montar uma clínica clandestina naquele lugar. As sirenes estavam desligadas, queriam chegar de surpresa.

— Me empresta um desses. — disse Tânio, se apoderando de um dos revólveres do delegado. — Se tiver confusão, não posso estar desarmado.

O cheiro da gasolina impregnava a viatura, dificultando a respiração dos passageiros, especialmente do detetive Tânio Esperança.

Rogério fez menção de apanhar um dos revólveres também, mas tomou um tapa na mão dado pelo delegado.

— Você vai fazer merda. Não encosta nisso aí e espera dentro da viatura. Se precisar dos seus serviços eu te chamo.

Os carros encostaram.

Desceram cuidadosos. Movimentavam-se seguindo os sinais do delegado. O padre os acompanhava. Queria ver um dos fantasmas. Não podia terminar aquela aventura sem adicionar um novo item ao seu catálogo de seres sobrenaturais.

Wílson aproximou-se dos carros estacionados. O pavilhão térreo assemelhava-se mais a um estacionamento abandonado. Havia muito musgo e vegetação rasteira espalhada pelo chão. Tinham que tomar cuidado para não escorregar.

Logo à frente do delegado havia uma escadaria escura dando acesso ao primeiro prédio. No topo da escadaria viu acender uma brasa minúscula. Alguém fumava cigarro. Chamou Maurício.

Os dois foram contratados para fazer a segurança do prédio abandonado. Já estavam se acostumando com a gente estranha para a qual trabalhavam. Ora pareciam médicos, ora fanáticos religiosos. Mas qual era o problema? O importante era o dinheiro. E que dinheiro! Os caras tinham grana. Era sobre isso que conversavam quando viram dois homens se aproximando. Era hora de trabalhar. Empunharam as carabinas. As ordens eram claras. Ninguém, nenhum vagabundo naquele prédio.

Os homens que se aproximavam riam alto. Pareciam completamente embriagados. Um deles, o japonês, começou a subir a escada com dificuldade.

— Ai, irmãozinho... eu tava aqui com o meu amigo... passando, a gente queria pedir um favor...

— Tem favor nenhum aqui, não. Continua passando e some daqui. — bronqueou o segurança de barba, apontando a carabina para o japonês.

— Iiih... Vira essa coisa pra lá, irmãozinho. Olha lá, Marná. O cara tá armado. Deixa eu vê?

O barbudo desceu um degrau.

— Escuta aqui, tio. O negócio é sério. Desce essa porra ou o bicho vai pegar.

— É só você me dar um cigarrinho.

— Não tem cigarro nenhum aqui.

— Peraí, ô Barba. Eu cuido disso. — interveio o outro segurança, fazendo o amigo abaixar a carabina. — Cê fica apavorando esses pinguço, depois eles abre a boca por aí. Tó, pega o maço. — disse, arremessando o pacote.

Wílson, fingindo-se desastrado, rebateu o pacote, fazendo-o cair lá embaixo. Os seguranças desviaram o olhar, procurando os cigarros. Era hora de agir.

— Cê é burro mesmo, hein japonês?! — reclamou o Barba.

— Cê acha? — retrucou o delegado, deixando o *click* do engatilhar do revólver chegar aos ouvidos do segurança.

Maurício também já apontava a arma para a cabeça do segundo, deixando-os completamente rendidos. Wílson fez o Barba recuar o degrau que tinha descido e no corredor obrigou-os a soltarem as carabinas calibre doze.

— Q-que que é isso? A gente não tem dinheiro! Pelo amor de Deus, pega o cigarro... e-eu n-não...

— Cala a boca, valentão. A gente é da polícia. Onde tá o resto da turma? — quis saber Wílson.

— E-eu... eu n-não...

— Se disser que não sabe, tu vai tomar um tiro no meio da cabeça, não tem ninguém aqui pra contar outra história, vocês estão armados, resistiram à prisão, não tive o que fazer com os vagabundos.

— Es-estão lá em cima. — respondeu o Barba, com dificuldade para falar por causa da mão forte em sua garganta.

— Vocês que mataram os policiais hoje de tarde? — perguntou Maurício.

Os dois entreolharam-se.

Wílson soltou o pescoço do Barba. Chutou a carabina, fazendo-a escorregar pelo corredor até perder-se na escuridão. Maurício fez o mesmo, chutando a outra arma para o outro lado. Desferiu um potente soco no rosto do segundo segurança, que bateu a cabeça contra a parede e caiu com o nariz sangrando.

— Onde está o resto da turma? Abre o bico, desgraçado! — gritou o delegado.

Um barulho no corredor escuro fez Maurício olhar naquela direção. Um par de brasas cintilantes pairava no ar.

— E-estão no quarto andar... po-pode ver. Eu juro que...

Wílson tirou a algema da cintura e já trancava o primeiro pulso do sujeito quando Maurício deu um tapa no ombro.

— Olha.

Wílson viu o par de brasas flutuantes. Sabia o que era. Era um deles.

O barulho encheu o corredor. As espingardas arrastaram-se de volta ao grupo. O barbudo, habituado com aquelas coisas que imitavam fantasmas, aproveitou-se do torpor dos policiais e lançou a mão sobre a carabina. Porém, um tiro na mão do barbudo deu fim ao seu intento. Wílson estava habituado com aquele tipo de gente.

O segundo homem continuou imóvel, segurava o nariz, como se a mão tivesse poder curativo e fosse colocá-lo no lugar.

— Que é isso?

— São eles.

— Os fantasmas?

— É. Fique bem quieto. Hoje eu já tomei uma surra brava dessas coisas... não as subestime.

— Certo, chefe... você quem manda.

Uma criança saiu da penumbra. Uma menina, aparentando ter quatro anos. Atrás dela, na escuridão, acenderam-se vários pares de olhos chamejantes. Estavam cercados. Talvez o ideal fosse recuar. Voltar ao andar térreo, onde teriam a assistência dos demais. Wílson olhou para a escada. Vários policiais chegavam e começavam a subir os primeiros degraus.

— Fiquem aí! Não subam. Eu estou descendo...

— Vamos dar mole para essa criançada, chefe?

— Cala a boca, Maurício. Você já viu um monte de gente mutilada por esse bando de monstrinhos... se quiser bancar o valentão, vai em frente.

A menina continuava avançando. Andou em linha reta até chegar perto do cigarro que o segurança barbudo deixara cair ainda aceso. Descreveu uma meia-volta, passando longe da bituca e da mão ensangüentada do homem. Outras crianças abandonaram a escuridão, caminhando agrupadas, avançando por ambos os lados do corredor.

— Essas coisas... elas não são crianças, não é, delegado? — perguntou Maurício.

— Não. São fantasmas.

O homem de nariz quebrado começou a rir baixinho. O barbudo gemia e segurava a mão ferida com a outra.

Maurício estendeu o braço, apontando a arma para a menina que estava mais perto. Engatilhou.

— Esquece, Maurício. Vamos saindo de fininho...

— A gente tem que passar, chefe. Se chegarmos lá em cima, a gente mata o mal pela raiz.

Maurício disparou.

A menina tombou para a frente, caindo de joelhos. Maurício arregalou os olhos. Estava acostumado a atirar em canalhas, não em crianças.

A menina levantou-se com a mão no peito, em cima do ferimento. Tirou a mão do local e começou a rir.

Com o novo disparo, os policiais subiram, apesar do protesto do delegado.

A menina tornou-se um vulto e colidiu contra o corpo de Maurício, arremessando-o para longe, fazendo-o atravessar os corpos etéreos de outros fantasmas.

Maurício apavorou-se ao tocar o chão. Estava cercado por aqueles olhos vermelhos na escuridão. Tentava se levantar, mas era golpeado e levado ao chão.

Os policiais encheram o corredor. Wílson gritava enfurecido, pedindo que descessem. Pequenos corpos infantis tomaram o corredor, golpeando e confundindo os policiais. Vendo que não conseguiria fazê-los voltar, o delegado decidiu esquecer a prudência e partir para a ação antes que todos estivessem feridos ou mortos por aquelas bizarras criaturas.

— Subam para o quarto andar! Procurem os tambores e destruam os embriões! Rápido!

Um grupo de policiais conseguiu vencer a confusão e alcançar o segundo lance da escada.

Wílson preocupou-se com o idiota do Maurício. Onde ele estava?

No térreo, Tânio decidiu abandonar a viatura e partir para o prédio. Aparentemente o plano do delegado tinha ido por água abaixo. Recomendou que Lizete não saísse dali, ficasse com Rogério, ajudariam mais não se metendo em confusão. Atravessou o pátio, carregando uma garrafa de gasolina. Chegando à escada, encontrou o padre Alberto Cantor subindo os primeiros lances. Ouviu mais tiros. A situação parecia fora de controle.

— Abaixe-se, padre. Se você morrer agora não vai conseguir passar a perna no seu amigo Quevedo.

— Que absurdo, detetive. O colega Quevedo é insuperável. — reclamou o padre, abaixando-se.

Subiram quase num engatinhar.

Logo de cara, Tânio viu dois homens mortos. Não eram policiais. Um barbudo e um sujeito com o nariz ensangüentado tinham ferimentos de bala no corpo. Tânio viu vários dos pequenos fantasmas correndo pelo corredor, golpeando e espancando policiais violentamente.

— Eles estão aí? — perguntou o padre.

— Aos montes, padre, aos montes.

Cantor juntou-se a Esperança. Seus olhos encheram-se. Os fantasmas existiam. O padre viu um policial tentando golpear uma das criaturas, mas, inexplicavelmente, seu braço atravessou aquele corpinho frágil sem causar dano algum. Ao contrário do fantasma, quando o policial foi atingido, caiu no chão com o rosto tomado pela expressão de dor. Tânio viu um policial desmaiado no lance superior. Tinham que subir.

— Vamos, padre. — disse Tânio, puxando Cantor pela camisa.

— Espere. — pediu, desvencilhando-se da mão do detetive.

Tânio abaixou-se. Mais disparos foram ouvidos. Vinham dos andares de cima.

— Veja, Tânio.

O detetive olhou para o fantasma que o padre indicava.

A pequena criatura se encontrava estática, paralisada em frente de uma bituca de cigarro que queimava no chão.

— Ele tem medo de fogo.

— Parece que é, padre. Vamos descobrir. Segura isso aqui. — disse o detetive, passando para o padre a garrafa de gasolina que carregava.

Tânio tirou seu *zippo* do bolso da calça, friccionando a pedra e fazendo a chama surgir. Aproximou-se do pequeno fantasma, apontando o fogo do isqueiro. Quando o menino ergueu os olhos, eles pararam de cintilar, tornando-se normais.

— Vo-você vai me matar?

— Eu não quero. Quero que vá embora.

O pequeno fantasma desmaterializou-se.

— Você está certo, padre. Me ajude, vamos salvar os outros.

Tânio passou a correr atrás das pequenas criaturas, apontando a chama do isqueiro. Algumas tentavam avançar e tomá-lo do detetive. Tânio recuou. Precisava de algo mais contundente. Arrancou a camisa e enrolou-a em um pedaço de madeira encontrado no chão. Fez Cantor despejar uma boa quantidade de gasolina no tecido e acendeu a tocha. Agora, sim, tinha o que precisava. Os policiais salvos do espancamento agradeciam e se juntavam ao detetive, tentando encontrar outras madeiras e improvisando suas próprias tochas. Alguns estavam desmaiados e eram puxados para a garagem, onde, com outras garrafas de gasolina, foi improvisada uma providencial fogueira.

Tânio encarregou o padre de vasculhar aquele andar. Sabiam como afugentar aquelas coisas, não precisavam mais ter medo. Precisava subir, encontrar o "ninho" daqueles seres funestos e destruí-los.

# Capítulo 16

Tiros!

Mikaela estremeceu. Haviam encontrado o esconderijo. De que forma? Tinha que salvá-los. Todos os embriões.

— Mikaela?! O que está acontecendo?

— Acharam a gente, Gaspar. Termine com ela o mais rápido que puder. Temos que tirar as geladeiras daqui.

— Quem achou o quê? — perguntou o rapaz, um pouco perdido.

— Não dá tempo pra explicar. Some daqui, Danilo! Some!

— Mas...

— Vai embora. Depois eu te procuro e acerto os dias que trabalhou.

— Qual é, Gaspar? Que tá acontecendo aqui?

Mikaela retirou uma pistola prateada de dentro da bolsa. O barulho do engatilhar chamou a atenção de Danilo.

— É o seguinte, menino. É melhor você sumir daqui antes que isso suma com sua cabeça.

Danilo caminhou de costas até a porta plástica. Aqueles dois o tinham colocado numa roubada. Saiu da tenda improvisada e começou a correr, deixando o som do gerador de energia para trás. Tinha que sair dali com vida. As respostas poderiam vir depois.

Mikaela saiu logo atrás do instrumentador. Desceu um lance de escadas e escondeu-se na penumbra. Podia ouvir gritos desesperados e disparos de armas. Os pequenos eram excelentes cães de guarda. O quarto escuro iluminou-se. Mikaela se virou. Uma criança "acesa" caminhava em sua direção. Era uma das mais poderosas.

— É a hora, Simão. A hora de mostrar quem você é!

A pequena criatura rugiu e desapareceu do quarto, deixando para trás um rastro de luz.

O policial Abreu vasculhava o segundo andar com a ajuda de Miguel. Estavam na ponta de um dos corredores e passavam apartamento por apartamento. Podiam encontrar algum rato escondido nos velhos cômodos. Ou o "ninho" daquelas coisas. Abreu ouviu um som às suas costas. Um zumbido forte. Virou-se repentinamente, apontando a arma para todos os lados. Miguel ergueu o isqueiro, tentando iluminar um pouco mais. Não tinha nada ali. Decidiram deixar o cômodo, quando uma luz forte clareou o ambiente. Um fantasma.

Tânio foi para o segundo andar. Policiais passavam pelas escadas. Tiros logo acima. Juntou papelão e madeira e ateou fogo. Queria fogo próximo das escadas. Uma luz brilhante lhe chamou a atenção no fim do corredor. Um clarão forte formou-se e então, de repente, desapareceu. Tânio avançou, munido de uma tocha. Entrou no último apartamento. Ficou horrorizado. Havia sangue para todos os lados. Iluminou a sala à procura da vítima. Mas ela não estava inteira. Havia pedaços de gente esparramados por todos os cantos. Frases confusas estavam escritas na parede. Escritas com sangue.

Tânio voltou ao corredor. Pequenos fantasmas acompanhavam sua movimentação à distância, procurando uma oportunidade para atacá-lo, para tirar dele aquela tocha maldita.

O detetive subiu ao terceiro andar. Repetiu a operação de ajuntar madeiras e atear fogo. Outra vez notou o brilho no final do corredor. Correu para lá. Tinha que saber o que era aquilo. Ouviu uma voz feminina. Uma voz conhecida. Mikaela! Não adiantava chegar na ponta dos pés. A chama da tocha delataria sua presença. Como não estava disposto a perder a proteção contra os fantasmas, a surpresa que se danasse. Engatilhou o revólver e adentrou a sala. O brilho ofuscante tomou-se ainda mais intenso. Tânio podia divisar a silhueta de uma criança no centro daquele clarão. Uma criança que ardia. Ao lado da criança havia alguém. Mikaela!

— Ora, ora! — exclamou a mulher.

— Está vivo! Como!? — rugiu a criança.

Tânio reconheceu aquela voz.

— Simão!

O brilho abrandou-se. Tânio podia agora enxergar melhor. Aquele espírito, aquela alma, fez seu coração disparar. Um arrepio percorreu sua pele. Aquele espírito tinha as feições do pequeno Simão. Era como olhar para uma fotografia.

— Parece que o detetive tem sete vidas. — brincou Mikaela.

O fantasma caminhou até o detetive.

Tânio brandiu a tocha, ameaçando o menino.

Simão riu desbragadamente. Voltou a caminhar até enterrar o próprio corpo na tocha empunhada pelo detetive.

— Acha que tenho medo de fogo, Tânio? Não tenho. Não preciso mais ter.

Tânio deu um passo para trás, retirando a tocha do corpo iluminado de Simão.

— Soube que se tornou detetive. Por que não investiga isso?

Simão girou seguidamente em torno do próprio corpo, aumentando a velocidade cada vez mais. Um vento sobrenatural tomou conta da sala, apagando a tocha. O vento foi tão forte que obrigou o detetive a curvar o corpo.

Gradualmente Simão diminuiu a velocidade, fazendo o vento sinistro desaparecer.

Tânio abriu os olhos. O fogo se fora, e os fantasmas se aproximavam, passo a passo, esperando a brasa que ardia na ponta da madeira extinguir-se. O coração do detetive disparou. Soltou o pedaço de madeira, e fagulhas subiram, fazendo os fantasmas recuarem alguns passos.

— Desta vez, Tânio... desta vez você não escapa.

Tânio levou a mão ao bolso, mas antes que pudesse alcançar o isqueiro, uma mãozinha jogou-o ao chão. Outro fantasma chutou sua mão, fazendo o revólver atravessar o cômodo e disparar ao chocar-se do outro lado. Começaram a surrá-lo novamente. Dores antigas voltaram ao corpo do detetive. Um grito. Os golpes cessaram. Um objeto frio e metálico foi encostado em sua nuca.

— Bom, pra falar a verdade, não acho que você tem sete vidas...

Tânio apertou os olhos.

Um disparo.

Seu ouvido esquerdo pareceu explodir. Caiu de costas. Sem dor, sem choro. Um brilho forte chegou-lhe aos olhos. O anjo... o anjo.

— Você é meu, filho da puta!

Tânio chacoalhou a cabeça. Não era o anjo, era Simão quem o puxava pelas ataduras do peito. Não era o anjo quem lhe ensinava o caminho do céu. Era Simão quem, agora pelo pulso, o arrastava pelo chão cimentado do cômodo, a caminho do inferno.

Simão havia golpeado o braço de Mikaela, impedindo que o endereço da bala fosse o cérebro do detetive. Queria ele aquele deleite. O detetive tinha uma dívida com ele. Um suicídio é algo caro demais para se cobrar de terceiros, mas Tânio iria pagar uma pequena parcela daquela fatura. Simão foi até a janela arrastando o homem pelo chão.

Tânio sentiu o braço liberto roçar em ferro. A arma. Segurou-a.

Os fantasmas continuavam em seu redor. Mikaela aproximou-se.

— Não temos tempo, Simão.

— Vou matá-lo. É meu direito.

Mikaela debruçou-se até quase tocar o corpo do detetive.

— Lembre-se, detetive... não culpe ninguém. Você nos procurou primeiro, você quis matá-los! Eles têm direito, detetive. Eles...

A mulher interrompeu o discurso e afastou-se do detetive, caindo de joelhos alguns passos adiante.

— Argh! — gemeu a mulher. — Você e sua colônia barata... não suporto esse cheiro.

Simão ergueu Tânio e suspendeu seu corpo para fora do prédio, segurando-o pelo pulso.

— Basta eu abrir a mão, detetive. Basta eu abrir a mão para acabar com tudo... Que ironia, não? "Abrir a mão". Ah! Ah! Ah! Não é engraçado? Por que você não está rindo agora, detetive?

Tânio estava aturdido. Parecia prestes a perder os sentidos. A dor crescia dentro de seu corpo. Os ferimentos que tinham se curado naquele pequeno espaço de tempo voltavam a urrar em suas entranhas. O fantasma de um menino do passado sustinha sua vida entre dedos luminosos. A louca dentro do quarto parecia vomitar as tripas. Sem saber por que a imagem de Ana, a "grávida" espancada, veio-lhe à cabeça. Ao repassar este seu último pensamento, Tânio Esperança sentiu um clique estralar dentro da cabeça. Ela fizera o mesmo de manhã, em seu escritório. Não a Ana... Mikaela.

— Acho que não é tão alto, Tânio. Talvez você só quebre a bacia. Uma perna... Não é problema, Tânio... eu desço e acabo o serviço. Lembra do que você me chamava? De Já Perdeu... Por causa do cinco-contra-um, não é? Agora são cinco dedos no seu punho. Um, dois, três... — a cada número dito, do mínimo em diante, Simão erguia e abria um dedo.

Tânio trouxe a arma para cima e efetuou um disparo, que atravessou o corpo etéreo do fantasma.

Rindo, Simão interrompeu a contagem, voltando a segurar firmemente o pulso do detetive.

— Ainda não aprendeu que não pode me acertar?

— Eu não... queria... acertar vo-você. respondeu num murmúrio quase inaudível.

Simão virou-se para dentro, trazendo bruscamente o corpo do detetive para o parapeito da janela.

Tânio resvalou no cimento extemo e tentou impulsionar o corpo para dentro. Agarrou-se forte para não cair... não estava dando certo.

Simão, com os olhos arregalados, olhava para Mikaela, caída no chão, rodeada pelas crianças que choravam.

— Não! — urrou o menino.

— Si-Simão. Eu tô morrendo...

— Mamãe... — gemeu baixinho.

A mulher mantinha as mãos no abdome. O sangue vertia abundante de seu ventre ferido.

— Mamãe...

Num esforço final, Tânio conseguiu trazer o corpo para dentro, caindo desajeitado no chão tosco e empoeirado.

Simão não temia o fogo. Seu óvulo fecundado não mais estava guardado na prisão de gelo. Seu ovo, seu invólucro de carne, germinava nas entranhas de Mikaela.

Simão debruçou-se no peito da mulher e rompeu num pranto desesperado.

— Eu... te amo, filho... não fica assim... a gente se encontra, filhinho... — choramingava a mulher, tentando inutilmente consolar Simão. — Vamos brincar bastante ainda. Você gostou de jogar futebol com a mamãe? Gostou das historinhas... as musiquinhas...

— Gostei, mamãe... Ah! Mamãe... não me deixa aqui! Me conta mais historinha.

— V-vou cantar uma musiquinha... aquela do barquinho... aquela que mandei fazer um barquinho pra te buscar... e que...

A voz da mulher diminuiu de volume, até sumir completamente.

— Mamãe! O que aconteceu com o barquinho, mamãe?! Auuuá! — chorava o menino, desconsolado.

A mulher estava morta.

— MAMÃE! MAMÃE! Seu filho da puta! Você matou a mamãe! — urrou o fantasma, descontrolado, virando-se para o detetive.

O corpo imóvel de Mikaela continuou cercado pelos fantasmas de olhos vermelho-cintilantes.

Simão levantou-se.

— Chega, Tânio! Chega de tirar vidas da minha vida!

Simão deu o primeiro passo e então aconteceu. Seu corpo acendeu-se abruptamente.

Tânio assustou-se e achou que sim, seu fim era certo.

Tão repentino quanto acendeu, o corpo de Simão apagou-se.

Os olhos de Tânio ficaram paralisados. Eram coisas demais acontecendo no mesmo dia.

Simão olhou para as mãos, que se tornaram cinza. Era como se o corpo estivesse secando.

Tânio encolheu as pernas, afastando-se da criatura dominada pelo ódio.

Quando o menino tentou dar o primeiro passo, o corpo inteiro desmoronou, virando um amontoado de poeira.

Tânio respirava com tomadas prolongadas de ar.

Os fantasmas aproximaram-se, cercando-o pela enésima vez.

— Você os matou.

Tânio arrastou-se para o canto do quarto e sacou o isqueiro. Riscou a pedra e fez a chama surgir. Estava débil e oscilante.

— O fluido está acabando, detetive. Temos toda a eternidade para esperar.

Tânio apanhou o revólver e efetuou disparos para cima. Se alguém estivesse por perto, viria ajudá-lo. Lascas de cimento caíram sobre sua cabeça. A chama do *zippo* ameaçou apagar.

— Não tem problema se eles chegarem, detetive. Se não te pegamos agora, pegamos amanhã.

Tânio começou a rezar por um milagre. Onde estava aquela imitação barata do padre Quevedo?

— Aaaah! — gritou uma das crianças.

Tânio ergueu o isqueiro para poder enxergar melhor.

A criança que gritava... ela estava ... derretendo.

Outras juntaram-se ao grito da primeira.

As que não derretiam tentavam acudir as que estavam sofrendo.

O milagre tinha acontecido. Eles tinham conseguido alcançar os tambores gelados, e agora os embriões estavam sendo atirados ao fogo.

As crianças pararam de chorar ao perceber o que acontecia. Juntaram-se num abraço apertado, derretendo cada vez mais velozmente. Uma menininha escapou do abraço e rastejou até perto do detetive. Um rastro de água formou-se no chão. O quarto começava a alagar.

Tânio aproximou o isqueiro, fazendo-a parar. Temia ser atacado.

A menina protegeu o rosto com a mão deformada. Um regueiro d'água escorria pelos braços e desprendia dela na altura dos cotovelos. Estava chorando.

— Já vivi tantas vidas... e essa nem começou... — choramingou a menina. — Meu nome é Maria... diz pros meus irmãozinhos que eu amo muito os dois... cuida deles pra mim, Esperança.

Tânio estava aturdido. Balançou a cabeça negativamente, mais por receio da criatura que se desmaterializava a sua frente do que pela responsabilidade daquela promessa.

— Cuida deles pra mim. — repetiu a menina, desaparecendo no segundo seguinte, quando seu corpo todo, de uma vez, tomou-se água e esparramou-se pelo chão.

Isso aconteceu com todos os demais, fazendo uma enxurrada de água tremendamente gelada bater contra o detetive. Entretanto, no instante seguinte, para surpresa de Tânio, toda a água desapareceu. Somente seu corpo permanecia molhado. Uma luz tremeluzente surgiu no corredor. A cavalaria... sempre atrasada.

— Ele está aqui! — gritou Maurício.

Tânio levantou-se apoiado pelo amigo. A caminhada até o térreo foi demorada e dolorida. O prédio estava completamente tomado pela fumaça. Tânio sufocou-se muito rápido devido à recente aventura com o gás. Chegou arquejante ao térreo. Avistou o padre Alberto Cantor junto à fogueira. Se não tivesse tão sufocado, se juntaria aos demais ao redor do fogo; seu corpo estava frio e os músculos tremiam.

Rogério e Lizete chegaram para ampará-lo. Lizete exibia um sorriso no rosto.

Tânio sentou-se no chão e apoiou as costas doloridas numa das colunas de sustentação do prédio. Respirou fundo e começou a rir. Rogério sentou-se ao seu lado, sem entender o riso estapafúrdio do detetive.

— Por que está rindo? — perguntou a mulher.

— Porque vocês dois, gracinha, vocês dois estão me devendo um grande dinheiro! Muuuito dinheiro! Acho que vou ficar um ano sem me preocupar com aluguel.

Os três riram juntos.

Para Tânio Esperança... sim, o caso estava encerrado.

Depois de descansar, Tânio foi para perto do fogo. Sentia a respiração normalizada; seria capaz até de arriscar umas baforadas num Marlboro. Passou os olhos por todos ali. O delegado estava um caco, estirado no chão, respirando ofegante. Dentre os homens, acocorados a um canto, os olhos de Tânio cruzaram com os de duas crianças, um menino e uma menina. Seu coração bateu mais forte. Nem todos os fantasmas tinham sumido.

— Estavam aqui embaixo quando cheguei, tentei espantá-los com o fogo, mas adivinhe... eram de verdade. — esclareceu o padre.

Tânio apanhou um cigarro no maço e pendurou-o no lábio.

— Quem são vocês?

— Somos irmãos da Maria. — respondeu o menino.

Tânio meneou a cabeça em sinal positivo. Abriu vagarosamente um largo sorriso. Tudo parecia estar acontecendo em câmera lenta quando as crianças lhe retribuíram, demonstrando alegria e ternura... nenhuma hostilidade. “Crianças de verdade”.

# Capítulo 17

Completava-se naquele mês um ano do encerramento do caso mais funesto com que o detetive Tânio Esperança já se deparara em sua vida. Desde aquela inesquecível noite, nunca mais estivera com a amiga Lizete. Ela e Rogério tinham reatado o casamento e, segundo diziam, iam bem. Falavam-se pelo telefone, eventualmente. Recebera um extra bem gordo pela resolução do problema. Ganhara vários clientes novos, pois a mídia caiu em cima do caso dos "Fantasmas de Osasco". Sempre recebia gente com problemas de assombração, em geral pessoas encucadas, que encaminhava a um bom psicólogo, pai-de-santo ou, até mesmo, para o padre Alberto Cantor. A propósito, ficaram amigos, conversavam eventualmente e até voltou a freqüentar a Igreja Católica... eventualmente. Graças à publicidade e às parcelas mensais do pagamento de Lizete — a última seria naquele mês — ficara sem motivos para se preocupar com o aluguel. Até o Voyage ganhara uma pintura nova! Quanto às crianças... as de verdade, Tânio passara a se responsabilizar por elas. Conseguira duas vagas em um orfanato da cidade, pois não tinha estrutura para mantê-las em casa. Era um troço complicado pra danar cuidar de duas crianças sem um treinamento apropriado, sendo um solteirão nato. Tornara-se padrinho delas. Visitava-as regularmente e, para seu próprio espanto, morria de saudades e fazia planos para passeios mais divertidos e também para o futuro daqueles dois. Fantasmas de crianças? Desde o dia em que incendiaram os tambores, felizmente nunca mais recebera visitas indesejadas, nunca mais vira um fantasma sequer. Sonhara, uma única vez, com Simão; não com o fantasma, mas o menino Simão. Brincavam e riam. Um *flashback*. Um sonho-memória. Havia brincado algumas vezes com o pequeno Simão, sem xingamentos, sem maltrates; duas crianças. Do quê? Pega-varetas. Simão não tinha mãos, mas tinha pés. Era bom naquele jogo! Dava trabalho para quem queria ganhar, como qualquer outro garoto. Poderiam ter sido bons amigos... Os óvulos fecundados tornaram-se uma espécie de bomba-relógio. Vez ou outra surgia um caso na TV, mas agora todos já sabiam como lidar com aquele novo tipo de fenômeno. Ouvira falar de um grupo que procurava estudar essas novas criaturas, criaturas criadas pelo homem, criaturas não-naturais; sobrenaturais. Cantor lhe mostrara recortes em jornais; havia estudos sérios. Governos do mundo inteiro buscavam um consenso. Projetos de novas leis pululavam no Senado brasileiro. Até onde ia o direito do homem? Tínhamos o direito de conservar vidas no gelo? Existiria de fato um "plano maior"? Não se brinca com a mãe natureza.

Sobre o tal "plano maior", nunca revelara a ninguém tudo o que escutara de Mikaela naquele quarto escuro, intoxicando-se com gás de cozinha. Guardava aquelas palavras para suas noites insones, para reflexões, algumas vezes atormentadas. Apesar da respeitável lista de repórteres que o visitou, não disse uma palavra sobre aquele discurso. Seria mais lenha na fogueira. Seria tomado como um novo guru, poderia ser procurado por fanáticos de todo canto do mundo para, no final, ser chamado de charlatão, de aproveitador barato tentando se autopromover com o deslumbre idiota da mídia de massa. Para o detetive Tânio Esperança, o caso dos "Fantasmas de Osasco" estava encerrado. Cumprira bem o seu papel. Satisfizera plenamente seu cliente e pagara os aluguéis atrasados. Era só isso que queria quando ingressou naquele estranho caso de que sequer imaginara uma ponta do desfecho, cercado por situações bizarras e pela morte. Para ele, o caso estava encerrado... restara apenas uma pergunta sem resposta. Aquele dia, quando ele e o delegado invadiram a clínica, haviam-na encontrado com as portas arrombadas. Wílson dissera que, depois do interrogatório com o membro sobrevivente daquela funesta quadrilha, soube que nenhum deles arrombara a clínica da Vila Campesina. Wílson chegara a desconfiar. O sujeito estaria apenas aliviando as acusações que pesavam em suas costas. A desconfiança dissipou-se quando o homem afirmou que não precisavam arrombar a clínica. Quem precisava éramos nós, pois eles possuíam as chaves! Se tinham as chaves, não fazia sentido arrombarem a clínica, chamar a atenção desnecessariamente. O arrombador era uma terceira pessoa. Quem ou por quê era problema para o delegado; para ele, Tânio Esperança, o caso encerrou-se quando os tambores refrigerados foram incendiados e os fantasmas que atormentavam a ele e sua cliente desapareceram.

Pesadelos? Não. Às vezes, a voz de Simão invadia sua cabeça e repetia incansável:

— "Tudo o que você faz está escrito e nunca será esquecido. Tudo o que você faz, todos os dias, do acordar ao adormecer..."

A voz atormentava, mas o que consolava era saber que podia fechar os olhos, pois todos aqueles fantasmas estavam destruídos. Todos.

* * *

Rogério empurrou a maca até a porta do centro cirúrgico. Estava nervoso e flutuando. Tinha tido uma segunda chance como marido, agora iria finalmente ter uma segunda chance como pai.

Lizete apertou a mão do marido com força. Ele não iria assistir ao parto, ali era a despedida. A barriga grande pesava, para ela também era uma despedida. As contrações já vinham insistentes, quase sem intervalos.

Foi encaminhada à sala de partos. Uma anestesia foi aplicada em sua espinha. Iria tentar o parto natural. Não queria ver sua barriga cortada. As enfermeiras lhe falavam a todo momento, tentando acalmá-la, mas pareciam não notar que ela já estava calma, estava serena. Lizete deixou o rosto virado para o lado para poder ver o canto da sala, para poder se despedir de uma última pessoa. Acocorado junto ao chão, o pequeno corpo de Pedro brilhava, com um sorriso maroto, assistindo ao parto da mãe.

— Vamos, mãe, força! Já coroou... agora é com você. Vai! Força! — pediu a enfermeira.

Lágrimas escorreram do rosto de Lizete. Viu o pequeno Pedro levantar-se e sua luz brilhante ir sumindo, pouco a pouco. Ela estendeu o braço, tentando acariciá-lo uma última vez. O menino acenou, dando um tchau... O brilho extinguiu-se completamente, tornando seu espectro acinzentado. Por fim, o menino desmaterializou-se. Lizete soluçava e, simultaneamente, o choro do bebê que chegava ao mundo inundou seus ouvidos. Ela começava a chorar emocionada, abrindo um sorriso imenso. Sentia um misto de dor, felicidade e plena satisfação.

A enfermeira colocou o corpo pequenino do recém-nascido sobre o peito da paciente.

— É um menino, mãe. Um menino.

Lizete riu.

— Eu já sabia... eu já sabia.

Fim

**Impressão e Acabamento**
Com fotolitos fornecidos pelo Editor

EDITORA e GRÁFICA
VIDA & CONSCIÊNCIA

R. Agostinho Gomes, 2312 • Ipiranga • SP
Fonefax: (11) 6161-2739 / 6161-2670
e-mail:grafica@vidaeconsciencia.com.br
site: www.vidaeconsciencia.com.br